LES SECRETS
DE LA PEINTURE
À L'HUILE

L'artiste au travail

LES SECRETS DE LA PEINTURE À L'HUILE

PRÉPARÉ PAR DAVID LEWIS

INTRODUCTION DE WENDON BLAKE
ADAPTATION FRANÇAISE DE JACQUES DE ROUSSAN

ÉDITIONS

marcel broquet

Case postale 310, LaPrairie, Qué.
J5R 3Y3 — (514) 659-4819

REMERCIEMENTS

Je désire remercier personnellement les nombreuses personnes qui m'ont aidé à préparer cet ouvrage et en particulier Don Holden, Robin Goode, Betty Vera et Jay Anning. Sans leur collaboration, la mise au point des *Secrets de la peinture à l'huile* aurait été impossible. Grâce à eux, ce fut non seulement possible mais aussi un vrai plaisir.

David Lewis

Table des matières

Introduction

Quand les éditeurs m'ont demandé de rédiger l'introduction de cet ouvrage, je me suis dirigé vers l'étagère où je range mes livres sur les techniques picturales et j'ai commencé à les feuilleter. J'ai été très surpris de voir combien j'en avais amassé avec le temps. Bon nombre des meilleurs artistes d'Amérique et d'Europe ont expliqué leurs méthodes dans des ouvrages et créé ce qu'on pourrait appeler une «université libre», c'est-à-dire une université sans campus ni salles de cours, seulement des livres.

Mais, après être passé au travers de tous ces ouvrages en ma possession, j'ai été frappé par le fait que presque tous les bons livres techniques ne représentent que les points de vue, les techniques et les méthodes d'enseignement d'un *seul* artiste. Peu de livres donnent au lecteur un aperçu des différentes manières de peindre et des différentes méthodes d'enseignement de tout un groupe d'artistes.

Aussi me suis-je réjoui quand j'ai vu les épreuves de l'ouvrage que vous lisez maintenant. Chose rare parmi les livres de ce genre, il s'agit d'un volume qui présente le travail et l'enseignement de dix peintres différents de haut niveau. C'est une initiative intéressante et innovatrice

qui est comme la mini-version d'une école d'art où enseigneraient les meilleurs professeurs, chacun apportant sa propre façon de voir les choses.

Pour mener à bien ce passionnant projet sur les techniques de la peinture à l'huile, l'éditeur a fait appel à dix artistes, tous excellents dans leur domaine, de styles différents, professeurs et donc familiers des peintres débutants.

Foster Caddell, portraitiste et paysagiste, sait déceler les problèmes auxquels tout étudiant doit normalement faire face et proposer les solutions qui lui permettront de faire des progrès rapides.

George Cherepov s'est acquis une solide réputation avec le style spontané et plein de fraîcheur de ses paysages, portraits et natures mortes.

Jane Corsellis est une artiste britannique qui vit maintenant au Canada où elle continue de peindre des nus avec beaucoup de séduction. Vous saurez apprécier la clarté avec laquelle elle explique comment peindre le corps humain en combinant les effets de lumière, l'atmosphère et l'environnement au milieu desquels pose le modèle.

Ken Davies s'est imposé par sa maîtrise des natures mortes si précises. Son enseignement est important pour tous

ceux qui désirent apprendre cette technique rigoureuse qu'on appelle souvent le «réalisme magique».

Charles Pfahl est l'un des peintres américains du nu le plus renommé.

Charles Reid donne l'impression d'être excellent dans tout ce qu'il fait: portraits, nus, natures mortes à l'huile et à l'aquarelle.

E. John Robinson est un peintre de marines connu.

John Howard Sanden est un portraitiste renommé dont les ouvrages et les conférences ont fait de lui le maître à penser de milliers d'artistes.

Richard Schmid est reconnu partout pour la virtuosité de sa technique dans ses extraordinaires portraits, nus, paysages et natures mortes.

Paysagiste renommé, *Paul Strisik* peint des paysages de la Nouvelle-Angleterre et du Far-West avec autant de bonheur.

Lorsque vous en aurez terminé avec ce volume, vous aurez assimilé certains des précieux conseils de dix artistes parmi les meilleurs en Amérique du Nord.

WENDON BLAKE

MATÉRIEL ET ÉQUIPEMENT

De quoi avez-vous besoin pour peindre un tableau à l'huile? Même s'il est impossible de parler de toutes les couleurs, médiums, vernis et supports disponibles, ce chapitre ne vous en servira pas moins de guide pour savoir par où commencer. Lisez-le attentivement mais n'oubliez pas de continuer à explorer plus avant pour votre propre compte. Si vous avez déjà vos pinceaux, vos couleurs et votre équipement, c'est très bien: ne vous en débarrassez pas sous prétexte qu'ils ne sont pas mentionnés dans ce chapitre.

Les pinceaux ou brosses

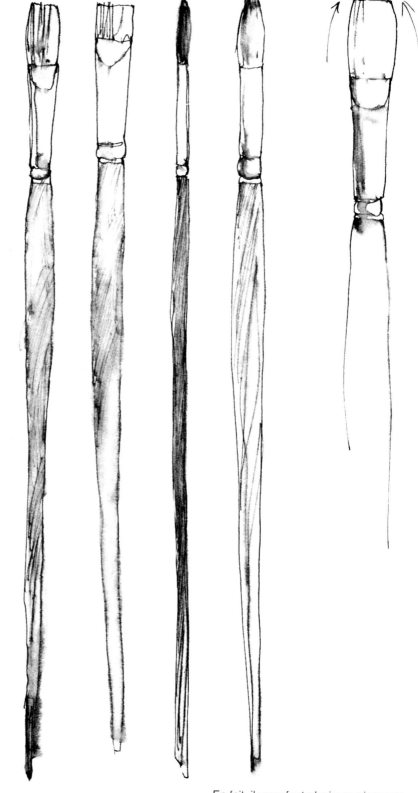

Achetez toujours les meilleurs pinceaux possible. Vous pouvez acheter des pigments moins chers ou peindre sur une toile bon marché mais, travailler avec des pinceaux de basse qualité, c'est comme vouloir modeler de la glaise avec des gants. Les bons pinceaux à l'huile sont faits avec des soies de porc, en martrette (mélange de martre et d'oreille de boeuf), en poils de mangouste ou de martre rouge. Les brosses rondes servent pour les détails; les brosses plates pour les fonds, les aplats et les touches carrées; les brosses usées bombées sont recommandées pour les approches plus douces du sujet: dégradés, fondus. Ne vous servez pas d'un pinceau à fibres synthétiques: ils conviennent mieux à la peinture à l'acrylique qu'à l'huile.

SOIES DE PORC

Les pinceaux en soies de porc sont généralement faits avec le poil du mâle et sont assez raides. La soie de porc n'a pas de capillarité. Les pinceaux existent dans des tailles allant du n° 0.00 au n° 10 (numérotation internationale utilisée dans cet ouvrage; numérotation française: n° 2 à 24). Certaines marques en fabriquent de plus grands encore. Comme pinceaux plats, il vous faut un n°4, un n° 6 et un n° 10. Servez-vous toujours des pinceaux les plus larges pour peindre les surfaces plus grandes. Ils ne coûtent pas tellement cher et vous devez en avoir au moins quatre. Encore une fois, achetez-en des bons. Si vous en achetez à poils longs, assurez-vous de la souplesse des soies sur les bords. C'est très important! N'en achetez jamais qui soient coupés droit car ils s'évaseront et vous poseront des problèmes. Les soies cambrées sont excellentes pour ce genre de pinceau.

Étant donné que les pinceaux en soies de porc sont plus raides que ceux en poils de martre, vous pouvez étendre avec eux plus de pâle sur la toile et couvrir plus facilement une grande superficie. À cause de cela, certains artistes préfèrent les utiliser pour peindre *alla prima*, c'est-à-dire pour avoir dès le premier coup de pinceau une idée du résultat final. D'une manière générale, on emploie les brosses en soies de porc dans les réalisations destinées à mettre en valeur les effets de matière (pâtes en épaisseur).

POILS FINS NATURELS: MARTRE, MARTRETTE, MANGOUSTE

Les pinceaux en poils de martre sont doux et flexibles. Si vous aimez peindre avec ce genre de pinceau, achetez un n° 6 ou un n° 8. Le prix en est si élevé que vous hésiterez à en acheter plus.

En peignant *alla prima* avec des pinceaux plats en poils de martre, vous obtiendrez peut-être une surface lisse et couvrante. En effet, ils semblent meilleurs pour les glacis mais sont bien plus chers que ceux en soies de porc. Cependant, servez-vous d'un pinceau rond pour tout travail délicat et d'une grande finesse.

En fait, il vous faut plusieurs pinceaux ronds en poils de martre allant du n° 3 au n° 6. Ils s'usent vite et ne sont pas trop chers. Ici, la taille n'a pas beaucoup d'importance. Cependant, les petites tailles ne correspondent pas aux besoins de la plupart des artistes et, au-dessus du n° 6, autant vous servir d'un petit pinceau en soies de porc.

Supports et chevalets

On peut peindre à l'huile sur une grande diversité de surfaces dont chacune a ses propriétés spécifiques. L'artiste Charles Reid évalue ici les supports les plus couramment employés pour la peinture à l'huile.

TOILE
La toile est tissée en coton ou en lin.

Coton. La toile en coton est difficile à étendre. Sa surface a tendance à être trop lisse; il en résulte que peindre par-dessus la première couche est un travail pénible et désagréable. Le coton n'est donc pas à recommander sauf pour faire des exercices ou des esquisses rapides.

Lin. Le lin est de loin meilleur. Il se présente dans des poids et des textures différentes. Son poids dépend du nombre de fibres au cm^2, tandis que sa texture dépend de la grosseur des fibres. Si vous achetez une toile déjà enduite, vous n'avez pas à vous en préoccuper étant donné que la plupart se présentent dans une texture moyenne standard. Il existe deux sortes d'enduction principales: l'enduction à l'huile (grasse) et l'enduction acrylique dite ''universelle'' (maigre). On ne peint jamais maigre sur gras. Par conséquent les débutants choisiront les toiles d'enduction universelle pour leurs premières oeuvres.

Les toiles sont généralement tendues sur châssis, d'où l'appellation ''châssis entoilés'', standard ou à clé. Il est préférable d'utiliser les châssis à clé en bois pour une meilleure tension à long terme.

Il est possible d'acheter de la toile en rouleau, de la tendre sur châssis et de l'enduire soi-même. Mais c'est un conseil que nous ne donnerons pas à des débutants!

PANNEAUX
Les panneaux de carton-fibre (isorel ou «masonite») sont encore mieux que la toile. Ils ne coûtent pas cher et offrent une excellente surface quand on leur donne deux couches de gesso acrylique. Servez-vous toujours de panneaux non étuvés. Le masonite étuvé contient de l'huile qui ne donne pas une bonne surface pour le gesso. Les panneaux d'isorel enduit (ou masonite) à l'huile sont particulièrement intéressants pour les réalisations qui nécessitent une application épaisse de la matière.

PAPIER ET CARTONS ENTOILÉS
Bon nombre d'artistes se servent de papier ou de carton pour peindre à l'huile. D'autres pensent que l'huile mange le papier et finit par le détruire. Toulouse-Lautrec a exécuté beaucoup de tableaux sur du carton et ils tiennent toujours. Le meilleur papier est encore le vélin car il contient de l'huile et, de la sorte, il est compatible avec les pigments à l'huile. Le papier doit impérativement avoir reçu une enduction pour peinture à l'huile. Les cartons entoilés sont des cartons épais marouflés avec de la toile de coton apprêtée avec de l'enduction universelle, et donc prêts à l'emploi pour tout usage.

CHEVALETS
Le genre de chevalet à choisir dépend de l'endroit où vous avez l'intention de peindre. Si vous pensez travailler chez vous ou dehors, il vous faut un chevalet portatif. Il y en a d'excellents en aluminium. Cependant, un chevalet portatif n'est pas aussi pratique qu'un chevalet d'atelier conçu pour ne pas bouger. Si vous avez un atelier à votre disposition et que vous pouvez vous le permettre, un bon chevalet d'atelier est l'idéal. Bien qu'il soit important de vous servir d'un chevalet qui ne bouge pas, il l'est encore plus de consacrer votre argent à l'achat de bons pinceaux. Vous vous en sortirez avec un chevalet moins cher mais pas avec des pinceaux bon marché!

Coffrets, palettes et couleurs

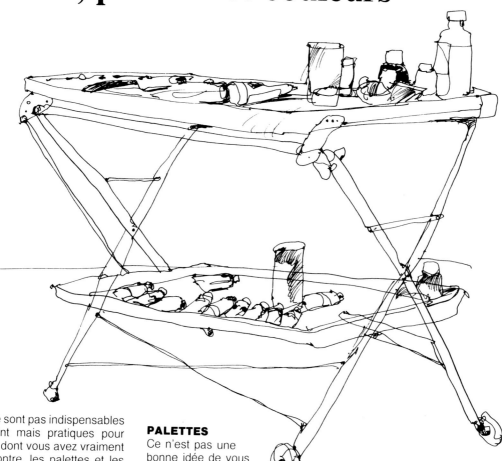

Les coffrets ne sont pas indispensables quand on peint mais pratiques pour transporter ce dont vous avez vraiment besoin. Par contre, les palettes et les couleurs sont importantes car les résultats obtenus dépendront beaucoup de ce dont vous vous servirez. Charles Reid commente ici ces trois éléments de la peinture à l'huile.

COFFRETS

Nul besoin d'un coffret spécial mais c'est pratique. Vous pouvez tout aussi bien transporter vos tubes, pinceaux et palette dans une boîte quelconque, ce qui vous permettra d'y mettre également votre palette avec les couleurs encore étalées dessus et de gagner du temps en ne la grattant pas chaque fois que vous voulez changer de place. Si vous ne désirez pas dépenser de l'argent pour un coffret, n'importe quelle boîte fera l'affaire. Ordinairement, les étudiants en peinture utilisent tout un assortiment de boîtes, cartons, sacs en toile, serviettes et coffres à outils. La qualité d'un coffret n'a pas d'importance pour autant qu'il transporte ce qui vous est nécessaire.

La boîte-chevalet est un outil idéal. C'est un chevalet pliant doté d'un casier à couleurs. C'est une merveilleuse invention malheureusement un peu chère. Au début, il est préférable d'investir votre argent pour des accessoires plus indispensables. En atelier, une bassinette pour bébé vous procurera l'espace nécessaire pour votre matériel.

PALETTES

Ce n'est pas une bonne idée de vous servir de palettes en papier même si de nombreux étudiants affirment que c'est plus facile. C'est bon quand on peint à l'occasion car vous pouvez la détacher et la jeter. Mais c'est de la couleur perdue et il n'est pas facile de faire des mélanges sur une palette en papier.

Si vous peignez souvent, servez-vous d'une palette en bois ou en masonite. Si vous travaillez surtout en atelier, la palette en verre est excellente. Ne vous servez jamais d'une palette en plastique pour la peinture à l'huile car la térébenthine dissout le plastique. (La seule exception est le plexiglas qui semble meilleur.) Les palettes en verre ne sont pas faciles à transporter mais elles sont bonnes en atelier parce qu'elles se nettoient bien. Une lame de rasoir au bout d'un manche fera l'affaire mais pas sur une palette en bois ou en masonite car elle arrachera la surface. Servez-vous plutôt dans ce cas d'une spatule et de mouchoirs en papier ou bien d'un chiffon et d'un peu de térébenthine pour avoir une palette bien propre.

COULEURS

Les artistes ont des avis différents sur les marques de couleurs qu'ils préfèrent. Vous apprendrez à les connaître. Bon nombre des couleurs sont semblables d'une marque à l'autre mais attendez-vous à des différences. Avant d'acheter votre sélection de couleurs, voyez la palette de base telle qu'expliquée aux pages 22 et 23.

Les fabricants ajoutent souvent un retardateur à leurs couleurs. C'est un produit qu'on ajoute au pigment pur et à l'huile lorsqu'on les met en tube afin d'en augmenter la durée et qui permet de mieux travailler la pâte. Il n'abîme pas le pigment mais, de toute évidence, plus il y a de retardateur dans le tube, moins il y a de pigment (donc moins de pouvoir couvrant). Cela ne veut dire non plus que la couleur sera moins vive mais qu'il vous en faut plus si vous vous servez de tubes qui contiennent beaucoup de ce produit. Certains fabricants mettent plus d'huile que d'autres dans leurs couleurs. Cela n'a rien à voir avec la qualité même du pigment et, comme beaucoup de gens aiment une pâte fluide, ils peuvent préférer ces couleurs. Cependant, c'est bien mieux d'ajouter vous-même de l'huile (ou tout autre médium) de façon à pouvoir contrôler la quantité dont vous avez besoin.

Médiums, gesso et accessoires

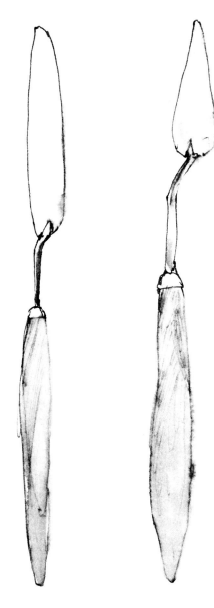

MÉDIUMS

Les artistes se servent de médiums pour rendre leurs pâtes plus fluides et plus onctueuses. Malheureusement, certains médiums peuvent causer des dommages irréparables.

Médiums liquides. Les médiums les plus sûrs sont des produits déjà préparés. Vous pouvez également le préparer vous-même en utilisant un tiers d'huile de lin, un tiers de térébenthine et un tiers de vernis damar. Cette préparation domestique est aussi bonne que celles du commerce. La térébenthine seule n'est pas un bon liant et n'est donc pas à recommander comme médium proprement dit. L'huile de lin seule a tendance à jaunir et doit donc être utilisée en mélange avec d'autres produits.

Médiums pâteux. Plusieurs fabricants offrent des médiums pâteux qui se travaillent bien et qui semblent sans danger en terme de durée. Chaque marque a une consistance un peu différente et c'est pourquoi vous devrez faire des essais pour trouver celle qui vous convient le mieux.

GESSO

Les artistes avaient autrefois l'habitude de préparer leur propre gesso pour apprêter leurs toiles et beaucoup le font encore. De nos jours, il existe plusieurs gessos synthétiques qui sont tous bons. Mais, comme avec les couleurs, vous verrez que la consistance du gesso change d'un fabricant à l'autre. Vous devrez probablement ajouter un peu d'eau à votre gesso avant de l'étendre sur votre toile ou votre panneau. Il est préférable d'en appliquer deux ou trois couches minces plutôt qu'une seule épaisse. Achetez un bon pinceau en nylon ou en soies de porc d'une largeur

de 8 à 10 cm — un pinceau ordinaire fera parfaitement l'affaire — pour appliquer votre gesso sur le support. Après le séchage de chaque couche, faites un léger ponçage avec du papier émeri fin pour aplanir la surface.

ACCESSOIRES DIVERS

Vous aurez également besoin de quelques accessoires dont voici une liste:

Chiffons, mouchoirs de papier, etc. Avant tout, il vous faut quelque chose pour essuyer vos pinceaux. La plupart des chiffons ne conviennent pas parce qu'ils ne sont pas assez absorbants. Les mouchoirs de papier, le papier de toilette et les serviettes de papier sont excellents. papier, le papier de toilette et les serviettes de papier sont excellents.

Couteaux à palette. Vous aurez aussi besoin d'un couteau à palette pour nettoyer votre palette mais vous préférerez peut-être un couteau à peindre dont la lame est plus petite et plus souple.

Térébenthine, white spirit et essences minérales. Ces produits sont indispensables pour nettoyer vos pinceaux. Vous pouvez acheter un lave-pinceau du commerce ou encore le fabriquer en vous servant de deux boîtes de conserve vides.

L'artiste Charles Reid vous conseille de prendre une boîte à café et une autre plus petite qui puisse rentrer dedans. Découpez la partie supérieure de la boîte plus petite et tournez-la à l'envers puis faites des trous dans le fond avec un clou. Placez ensuite la boîte plus petite avec les trous en l'air dans la boîte à café et remplissez-la avec de la térébenthine ou du diluant à pinceau. Quand vous nettoyez votre pinceau, le résidu

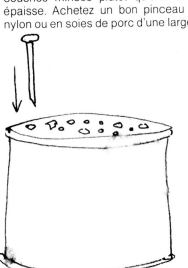

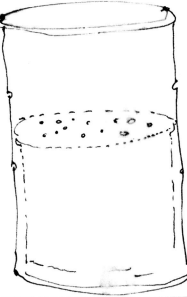

tombera au fond et votre térébenthine ou votre diluant restera longtemps propre.

Pour verser le médium, vous pouvez vous servir de petits godets en plastique. Après chaque séance de travail, nettoyez bien vos pinceaux avec de la térébenthine, du diluant ou de l'essence minérale puis lavez-les au savon et à l'eau. Travailler avec des pinceaux propres est un vrai plaisir mais, indispensable sinon agréable, leur nettoyage à l'eau et au savon les fera durer longtemps.

LA TECHNIQUE DU PINCEAU

La manière de tenir votre pinceau dépend du coup de pinceau que vous allez exécuter. On doit traiter différemment les grandes surfaces et les parties détaillées. En peignant beaucoup et en vous habituant à tenir votre pinceau de plusieurs manières, vous développerez votre style favori. Certains artistes étalent la couleur en maculant la toile, tandis que d'autres donnent des coups de pinceau fluides et souples. Il y en a qui font des tableaux avec des centaines de petites taches de couleur au lieu de donner des coups de pinceau. Votre travail au pinceau est votre calligraphie picturale. Il y a bien des manières de tenir un pinceau mais vous ne devez pas trop vous en soucier. Concentrez-vous sur le sujet de votre tableau et votre technique du pinceau viendra d'elle-même.

L'art du pinceau

Bon nombre d'étudiants peignent par petites touches. En fait, on ne doit le faire que de temps à autre. Habituellement, il est préférable d'appliquer des coups de pinceau plus larges avec un pinceau long qu'on tient vers le bout du manche; il faut aussi du courage. N'ayez pas peur d'abîmer vos pinceaux quand vous peignez avec vigueur. Vous devez vous servir de vos pinceaux de la manière qui vous donnera l'effet.

La chose principale à se rappeler quand on tient un pinceau, c'est qu'il est un ami et pas un adversaire. Ne l'étranglez pas en le serrant trop fort. Il doit être une extension naturelle de votre main, de votre poignet et de votre bras. Si vous travaillez un détail qui vous demande beaucoup de contrôle, tenez votre pinceau près de la virole. Si vous travaillez une grande surface avec spontanéité et hardiesse, tenez votre pinceau plus loin vers le bout du manche. Ne tenez jamais votre pinceau d'une seule manière. Ce chapitre décrit six genres de coups de pinceau et la manière de tenir le pinceau dans chaque cas.

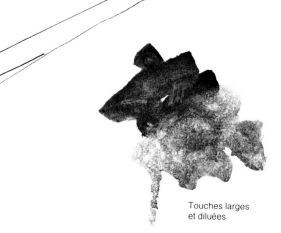

Maniement libre

Touches larges et diluées

Touches larges et diluées. Avec un pinceau en soies de porc souples (type 351 Raphaël), appliquez la couleur presque comme pour l'aquarelle. Servez-vous de beaucoup de térébenthine ou d'un autre produit avec une petite quantité de pigment. (Conservez votre térébenthine et votre médium dans des récipients séparés). N'appliquez jamais un pigment très dilué sur une vieille couche de peinture et n'essayez jamais de le faire sur une partie que vous venez tout juste de peindre. N'employez cette technique que si vous commencez un nouveau tableau. Il est bien entendu que vous ferez vos mélanges surtout sur votre palette mais, si votre pigment devient trop épais, vous travaillerez directement votre couleur sur la toile avec votre pinceau que vous aurez trempé dans la térébenthine. Enfin, ne vous servez jamais de pigment blanc opaque pour éclaircir les parties peintes au premier jus. La térébenthine agira comme diluant. De la même manière que l'eau vous permet d'éclaircir vos couleurs à l'aquarelle, plus vous mettez de térébenthine et plus votre jus deviendra clair et transparent sur la toile. Cette méthode est excellente lors de la première couche lorsque vous voulez couvrir rapidement de grandes surfaces. Il en résulte d'intéressants effets quand vous appliquez des mélanges de couleurs diverses. Certains artistes modernes emploient cette méthode du début à la fin sans jamais travailler en pleine pâte.

N.B. Dans cet ouvrage, nous appelons parfois ''lavis'' le mélange de couleur dilué avec de la térébenthine. Le terme habituel est ''jus'' ''Lavis'' est un terme emprunté à l'aquarelle (forte dilution du pigment avec de l'eau).

Touches régulières. Pour les coups de pinceau plus conventionnels, lorsque vous souhaitez une certaine spontanéité contrôlée, mélangez vos couleurs sur la palette avec juste assez de diluant pour les rendre fluides. Certains artistes se servent alors de térébenthine mais celle-ci ne donne pas vraiment assez de corps à votre pâte. Utilisez un médium à peindre du commerce ou, encore mieux, préparez-le vousmême. (Voir à ce sujet le chapitre intitulé «Matériel et équipement».) Prélevez sur votre palette une portion généreuse du mélange de pigment et de médium. Servez-vous seulement du bout des poils du pinceau pour peindre. Pour voir ce qu'on peut faire de cette manière, regardez certains tableaux tardifs de Rembrandt. Ce peintre extraordinaire donne l'impression

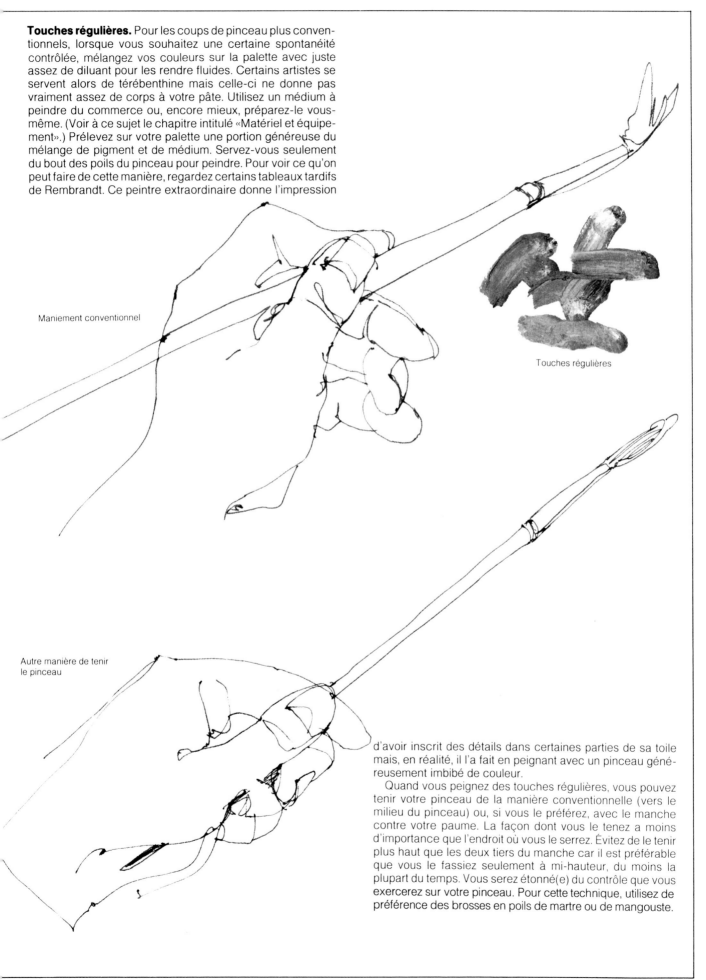

Maniement conventionnel

Touches régulières

Autre manière de tenir
le pinceau

d'avoir inscrit des détails dans certaines parties de sa toile mais, en réalité, il l'a fait en peignant avec un pinceau généreusement imbibé de couleur.

Quand vous peignez des touches régulières, vous pouvez tenir votre pinceau de la manière conventionnelle (vers le milieu du pinceau) ou, si vous le préférez, avec le manche contre votre paume. La façon dont vous le tenez a moins d'importance que l'endroit où vous le serrez. Évitez de le tenir plus haut que les deux tiers du manche car il est préférable que vous le fassiez seulement à mi-hauteur, du moins la plupart du temps. Vous serez étonné(e) du contrôle que vous exercerez sur votre pinceau. Pour cette technique, utilisez de préférence des brosses en poils de martre ou de mangouste.

Brosse sèche. Ce terme de brosse sèche décrit très bien la technique employée: on n'ajoute à la couleur que très peu de médium, sinon pas du tout, et c'est un pigment très sec qu'on applique sur la surface texturée de la toile. Utilisez ici un pinceau en mangouste. Le pinceau en poils de martre est trop souple dans ce cas précis. Comme on le mentionne au chapitre «Matériel et équipement», la quantité d'huile ajoutée au pigment diffère selon chaque marque. Cependant, la plupart des couleurs sans ajout de médium sont suffisamment sèches pour l'application en brosse sèche.

Cette méthode est excellente pour peindre une couleur par-dessus une autre déjà séchée. Il est ainsi possible de suggérer détails et textures ainsi que la lumière sans avoir à travailler péniblement votre application de couleur. Le peintre russe Nicholi Fechin s'est servi de la brosse sèche avec des résultats extraordinaires. Il avait constaté que les couleurs du commerce employées par les peintres américains étaient trop humides et c'est pourquoi il les pressait dans des serviettes de papier pour en enlever l'excès d'huile.

Le contrôle à exercer pour peindre en brosse sèche est le même que pour les touches régulières. Peignez avec le bord du pinceau plutôt qu'avec le bout et tenez-le avec le manche contre votre paume ou entre le pouce et l'index, toujours vers le milieu du manche. Étant donné que vous peignez avec le bord des soies, le manche de votre pinceau est presque parallèle à la toile quand vous appliquez la couleur.

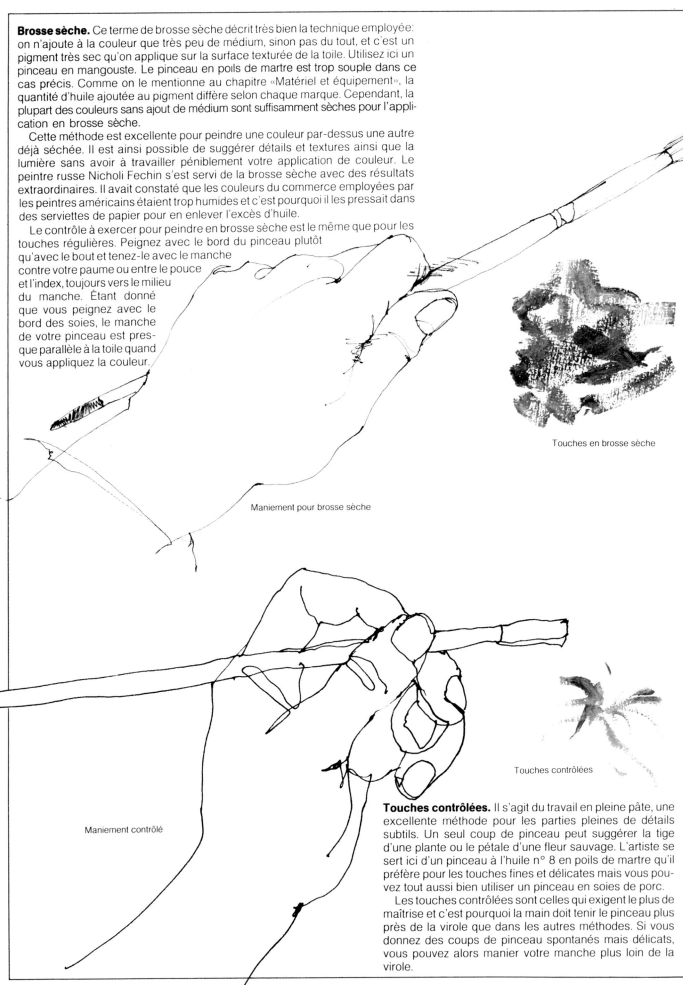

Touches en brosse sèche

Maniement pour brosse sèche

Maniement contrôlé

Touches contrôlées

Touches contrôlées. Il s'agit du travail en pleine pâte, une excellente méthode pour les parties pleines de détails subtils. Un seul coup de pinceau peut suggérer la tige d'une plante ou le pétale d'une fleur sauvage. L'artiste se sert ici d'un pinceau à l'huile n° 8 en poils de martre qu'il préfère pour les touches fines et délicates mais vous pouvez tout aussi bien utiliser un pinceau en soies de porc.

Les touches contrôlées sont celles qui exigent le plus de maîtrise et c'est pourquoi la main doit tenir le pinceau plus près de la virole que dans les autres méthodes. Si vous donnez des coups de pinceau spontanés mais délicats, vous pouvez alors manier votre manche plus loin de la virole.

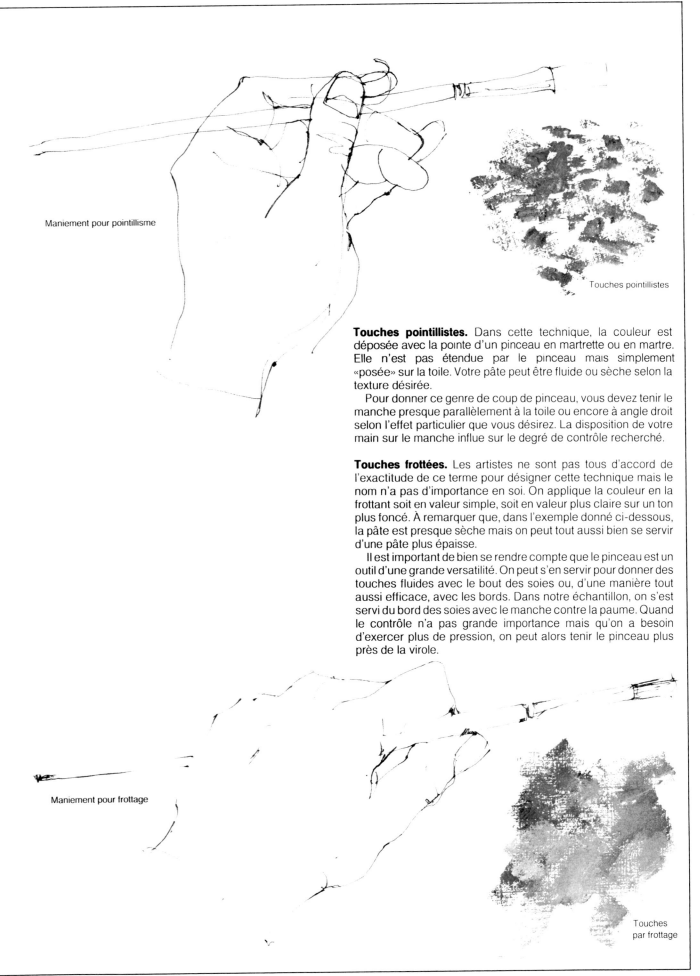

Maniement pour pointillisme

Touches pointillistes

Touches pointillistes. Dans cette technique, la couleur est déposée avec la pointe d'un pinceau en martrette ou en martre. Elle n'est pas étendue par le pinceau mais simplement «posée» sur la toile. Votre pâte peut être fluide ou sèche selon la texture désirée.

Pour donner ce genre de coup de pinceau, vous devez tenir le manche presque parallèlement à la toile ou encore à angle droit selon l'effet particulier que vous désirez. La disposition de votre main sur le manche influe sur le degré de contrôle recherché.

Touches frottées. Les artistes ne sont pas tous d'accord de l'exactitude de ce terme pour désigner cette technique mais le nom n'a pas d'importance en soi. On applique la couleur en la frottant soit en valeur simple, soit en valeur plus claire sur un ton plus foncé. À remarquer que, dans l'exemple donné ci-dessous, la pâte est presque sèche mais on peut tout aussi bien se servir d'une pâte plus épaisse.

Il est important de bien se rendre compte que le pinceau est un outil d'une grande versatilité. On peut s'en servir pour donner des touches fluides avec le bout des soies ou, d'une manière tout aussi efficace, avec les bords. Dans notre échantillon, on s'est servi du bord des soies avec le manche contre la paume. Quand le contrôle n'a pas grande importance mais qu'on a besoin d'exercer plus de pression, on peut alors tenir le pinceau plus près de la virole.

Maniement pour frottage

Touches par frottage

LE MÉLANGE DES COULEURS

Souvent les enfants voient les objets en terme de couleurs plutôt que de valeurs et de formes et c'est l'une des raisons pour laquelle ils transposent leurs visions avec une force, une franchise et une simplicité que bien des artistes adultes voudraient rendre dans leurs tableaux. La plupart des gens ont peur de se servir de couleurs fortes et, dans leur quête de rendre les choses «vraies», ils mélangent trop les couleurs de sorte qu'ils obtiennent des gris quand il ne le faut pas et que les valeurs sont brouillées et confondues.

Le but de ce chapitre est de vous aider dans votre apprentissage du mélange des couleurs de façon à ce que ce soit un jeu passionnant. En plus de vous donner une palette dont les couleurs vous seront utiles pour peindre à l'huile, ces pages vous expliquent comment voir les couleurs en terme de valeurs et comment préparer celles qui présentent des problèmes particuliers: obtenir des clairs et des foncés qui soient vifs, diversifier les verts de la belle saison, rendre les gris intéressants et préparer les couleurs chair.

La palette de base

Pour peindre à l'huile, vous avez besoin d'une gamme de couleurs vous permettant d'obtenir une grande variété de coloris, de valeurs et d'intensités. Chaque peintre doit sélectionner lui-même ses couleurs préférées.

COULEURS DE BASE

Pour commencer, voici une liste de couleurs formant une bonne base pour votre palette. Cependant, ce n'est pas une liste définitive, loin de là! Essayez-les mais expérimentez-en d'autres également. Nombreux sont les artistes qui modifient constamment leur palette.

Cramoisi alizarine. Cette couleur est indispensable et considérée permanente. Elle sèche lentement et a un fort pouvoir colorant. (Vous vous en apercevrez si vous en tachez un vêtement ou une chemise.) L'alizarine est remarquable pour obtenir des violets, des lavandes et des roses lorsqu'on peint des fleurs. Vous en aurez également besoin pour foncer les rouges et pour obtenir d'autres riches tons foncés. L'artiste Charles Reid la mélange souvent avec du bleu outremer ou de l'émeraude pour rendre ses tons foncés encore plus sombres, ou le fait aussi avec du bleu céruléum ou du bleu phtalo pour avoir des violets.

Rouge cadmium clair. Cette couleur est un bon rouge de base qui fera probablement toujours partie de votre palette. Il n'a pas autant de pouvoir colorant que l'alizarine mais est quand même fort. Certains artistes s'en servent plus que le rouge cadmium moyen ou le rouge cadmium foncé. Les cadmiums plus foncés servent à préparer des mélanges particuliers mais le rouge cadmium clair semble être le plus souple de tous les rouges; il doit faire partie de votre palette, au moins au début.

Vermillon. C'est une couleur légèrement plus froide que le rouge cadmium clair. La différence entre ces deux rouges est si minime que vous les confondrez sans vous en rendre compte.

Orange cadmium. Si vous mélangez du jaune et du rouge pour faire de l'orange, la couleur que vous obtiendrez ne sera pas aussi belle que l'orange cadmium. Beaucoup d'artistes considèrent cette couleur comme indispensable et vous devez l'avoir sur votre palette. Rappelez-vous que les cadmiums sont des couleurs fortes et n'en mettez qu'un peu, surtout si vous la mélangez avec une couleur claire ou du blanc. On peut ajouter un soupçon d'orange cadmium à du blanc pour lui donner force et chaleur.

Jaune cadmium pâle. C'est une couleur qui varie beaucoup dans sa tonalité d'un fabricant à l'autre. Essayez également le jaune citron et le jaune cadmium clair. Vous constaterez que ces trois coloris ont des valeurs semblables mais diffèrent en chaleur et en froideur.

Vert émeraude. C'est le vert le plus couramment utilisé et c'est celui-ci que vous devriez choisir si vous n'en voulez qu'un seul. Il ne ressemble pas à un vert «naturel» quand on s'en sert directement du tube mais il est merveilleux pour les mélanges.

Vert phtalo. Le seul autre vert qui sort du tube aussi foncé que l'émeraude est le vert phtalo (abréviation de phtalo-cyanine). Ce vert est une belle couleur mais, comme il a de la force et qu'il a tendance à dominer, servez-vous-en avec parcimonie.

Vert permanent clair. C'est un beau vert clair, un peu plus chaud que l'émeraude. Cette couleur ne vous enthousiasmera peut-être pas mais elle est excellente pour sa subtilité.

Bleu outremer. Vieille connaissance des artistes, il a un bon pouvoir colorant mais n'est pas aussi fort que le bleu phtalo. L'outremer est très foncé à la sortie du tube et permet de bons mélanges.

Bleu phtalo. Vous préférerez peut-être le bleu phtalo à l'outremer même s'il est très fort et qu'il a tendance à dominer tous les autres mélanges. Il donne de superbes violets foncés lorsqu'on le mélange avec du cramoisi alizarine.

Bleu cobalt. C'est une très belle couleur, bien plus douce et subtile que l'outremer ou le bleu phtalo. Ce bleu d'une valeur moyenne est un peu plus foncé et plus riche que le bleu céruléum.

Bleu céruléum. Ce bleu doux et clair est bien utile pour obtenir des gris subtils. Si vous ne voulez que deux bleus, choisissez le bleu céruléum et l'outremer.

Ocre jaune. Voici une couleur de terre subtile et discrète. Elle est excellente si vous avez besoin d'un jaune qui soit doux et sage. Vous pouvez également obtenir un jaune doux en vous servant en petite quantité d'un des cadmiums mais vous devrez faire attention car les cadmiums ont un pouvoir colorant bien plus fort que l'ocre jaune. Cependant, cette dernière couleur a tendance à être un peu crayeuse quand on s'en sert pour préparer des verts.

Terre de Sienne naturelle. Cette couleur terre est une version plus foncée de l'ocre jaune. Elle est excellente dans les mélanges pour obtenir des verts et elle a tendance à rendre ces mêmes verts plus riches et plus denses par suite de sa valeur plus basse (plus foncée).

Terre de Sienne brûlée. C'est l'une des couleurs (comme l'émeraude) qui est indispensable sur votre palette mais qui n'est pas bonne toute seule. Elle a besoin de compagnie. Beaucoup d'étudiants utilisent trop de terre de Sienne brûlée et les résultats sont souvent mauvais. Essayez de ne vous en servir que comme substitut au rouge dans les mélanges. Ajoutez-en un peu aux verts obtenus par mélange et essayez de le mélanger avec de l'outremer, du bleu phthalo ou de l'émeraude pour obtenir de riches tons foncés.

Terre d'ombre brûlée. C'est là votre brun le plus foncé. Il est plus chaud et plus rougeâtre que la terre d'ombre naturelle. Cette couleur est très bonne pour les tons très foncés quand vous ne voulez pas vous servir du noir. Mais ne vous reposez pas entièrement sur elle car les mélanges sont généralement bien meilleurs que la couleur pure sortie du tube. Certains artistes préfèrent obtenir des tons foncés avec un mélange de terre de Sienne brûlée et de bleu ou de vert. La terre d'ombre brûlée donne un beau gris quand on le mélange avec du bleu et un peu de blanc.

Terre d'ombre naturelle. Cette couleur est plus froide que la terre d'ombre brûlée et a tendance à tirer sur le vert. Vous préférerez peut-être ne pas l'avoir sur votre palette mais essayez quand même de vous servir au début des deux terres d'ombre; elles s'avéreront peut-être indispensables.

Noir. Beaucoup de professeurs découragent l'emploi du noir parce que les étudiants en mettent trop. Ce n'est pas toujours le meilleur moyen de foncer une couleur et vous pourrez obtenir de meilleurs résultats et plus variés en vous servant de mélanges d'autres coloris foncés. Cependant, le noir est une belle couleur qu'on utilisera en mélange avec des jaunes pour obtenir des verts de toute beauté.

Blanc. N'importe quel blanc de titane fera l'affaire.

La couleur pure en tant que valeur

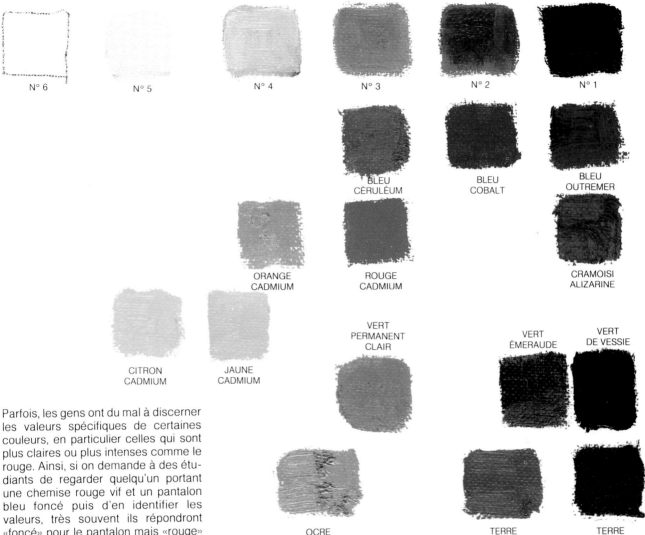

N° 6   N° 5   N° 4   N° 3   N° 2   N° 1

BLEU CÉRULÉUM   BLEU COBALT   BLEU OUTREMER

ORANGE CADMIUM   ROUGE CADMIUM   CRAMOISI ALIZARINE

VERT PERMANENT CLAIR   VERT ÉMERAUDE   VERT DE VESSIE

CITRON CADMIUM   JAUNE CADMIUM

OCRE JAUNE   TERRE DE SIENNE NATURELLE   TERRE D'OMBRE BRÛLÉE

Parfois, les gens ont du mal à discerner les valeurs spécifiques de certaines couleurs, en particulier celles qui sont plus claires ou plus intenses comme le rouge. Ainsi, si on demande à des étudiants de regarder quelqu'un portant une chemise rouge vif et un pantalon bleu foncé puis d'en identifier les valeurs, très souvent ils répondront «foncé» pour le pantalon mais «rouge» pour la chemise!

Quand vous peignez une scène, il est important que vous soyez capable d'identifier la valeur spécifique de chaque couleur dont vous vous servez. Des couleurs fortes et vives suggèrent souvent une valeur claire alors que d'autres plus grisaillantes et moins intenses suggèrent une valeur plus foncée. Mais on confond alors valeur et intensité. Rappelez-vous que chaque couleur a une tonalité, une valeur et une intensité qui lui sont propres à la sortie du tube. Essayez d'en tenir compte.

APPRENEZ LES VALEURS DE VOS COULEURS

Le tableau de valeurs ci-dessus montre comment vous devez classifier vos couleurs. Évidemment, chacun peut avoir une perception légèrement différente et vous pouvez ne pas être d'accord avec certaines de ces valeurs. Cependant, aussi longtemps que vous le suivrez, vous n'aurez pas trop de mal à classifier vos couleurs.

FAITES VOTRE PROPRE TABLEAU DE VALEURS

Servez-vous d'un carton entoilé de 20 sur 25 cm ou plus grand selon le nombre de couleurs à votre disposition.

1. En haut, peignez une gamme de valeurs allant du blanc au noir. Vous préférerez peut-être commencer à gauche avec le noir ivoire en y ajoutant de plus en plus de blanc vers la droite ou vous pouvez faire le contraire en commençant avec le blanc pour arriver jusqu'au noir, comme il vous conviendra.

2. Maintenant, placez les couleurs dont vous vous servez d'ordinaire — mais pas forcément celles du tableau ci-dessus — dans leur ordre habituel le long du bord de votre palette. Ensuite appariez chaque couleur avec l'une des valeurs noir et blanc. Ne modifiez pas la couleur sortie du tube en la mélangeant avec une autre couleur ou avec du noir et du blanc, mais servez-vous-en telle quelle. Il peut sembler difficile au début de juger les valeurs et vous gâcherez peut-être plusieurs cartons pour y arriver mais, en fin de compte, cela en vaut la peine.

À remarquer que plusieurs couleurs sur le tableau tombent entre deux valeurs. Ainsi, le jaune cadmium semble se situer entre le 4 et le 5, l'ocre jaune entre le 3 et le 4, l'émeraude entre le 1 et le 2. C'est très bien. Pour l'instant contentez-vous de placer ces couleurs entre deux valeurs comme ci-dessus. Une fois que vous aurez appris à discerner les différentes subtilités tonales, il vous sera alors facile de dresser une échelle de valeurs qui pourra en comprendre neuf et même plus sans compter le noir et le blanc.

Mélanges foncés

Si une couleur d'un riche foncé est d'un ou deux tons plus clairs qu'un foncé monochrome (n'importe quelle couleur d'un foncé neutre), la couleur foncée légèrement plus claire et plus vive paraîtra plus dense et plus riche. Une tonalité foncée a besoin de luminosité et d'atmosphère; le fait d'y ajouter un peu de couleur est le meilleur moyen d'y arriver.

FAITES VOS MÉLANGES FONCÉS

Si vous cherchez une «couleur» foncée, essayez de vous servir des mélanges de base ci-contre. Les couleurs employées pour ces mélanges sont indiquées ci-dessous. On peut remplacer beaucoup de ces couleurs l'une par l'autre et c'est pourquoi vous devez essayer d'abord ces mélanges avant d'en entreprendre d'autres.

A. Terre de Sienne brûlée
   et bleu outremer
   ou bleu phtalo.
B. Terre de Sienne brûlée,
   émeraude et terre
   d'ombre brûlée
C. Cramoisi alizarine
   et bleu outremer
   ou bleu phtalo.
D. Noir ivoire, terre
   d'ombre brûlée ou
   naturelle, terre de
   Sienne brûlée ou
   naturelle. (Vous pouvez
   également mélanger du
   bleu phtalo, de l'outremer
   ou de l'émeraude au noir ivoire.)
E. Rouge cadmium et vert
   permanent ou vert permanent
   clair. (Ces couleurs donnent
   des foncés plus clairs et plus vifs.)
F. Rouge cadmium et émeraude.

Si vous cherchez un foncé qui le soit vraiment mais qui n'ait pas de nuance, alors prenez du noir ivoire. Vous devrez peut-être le faire quand, par exemple, votre tableau est très coloré et que vous avez besoin d'une couleur foncée: le noir pur (plutôt qu'un noir mélangé) pourra alors parfaitement convenir.

L'ÉCLAIRCISSEMENT DES FONCÉS

Vous voudrez peut-être essayer d'éclaircir vos foncés avec une couleur chaude qui ne soit pas le blanc. En fait, essayez de vous servir du blanc le moins possible pour éclaircir des valeurs moyennes et foncées parce qu'il leur donne une apparence lourde et barbouillée. Évidemment, vous vous servirez du blanc pour les valeurs claires mais ne vous en assurez pas moins que chaque partie claire dégage une tendance chromatique dominante. Le blanc est indispensable pour éclaircir les couleurs mais ne représente pas le seul moyen d'y parvenir.

A

B

C

D

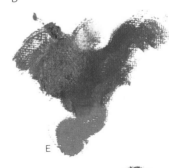

E

F

Mélanges clairs

Un blanc pur ou un blanc froid paraît souvent moins blanc qu'un blanc peint avec un soupçon de ton chaud. Ainsi, si votre blanc semble sans vie, un soupçon d'orange cadmium le ressuscitera. Même si la couleur déposée est froide et que vous avez vraiment besoin d'un clair très clair, ajoutez un soupçon de chaleur à votre blanc.

Regardez bien ces échantillons et remarquez la grande proportion de blanc par rapport aux quantités moindres de couleurs fortes comme l'orange cadmium, le rouge cadmium et l'alizarine.

LES TONS CLAIRS ET CHAUDS

Pour obtenir des tons clairs et chauds, vous devez commencer par le blanc en y mettant le moins possible de couleur. Si vous ajoutez trop d'une couleur forte comme l'orange cadmium, par exemple, vous finirez par gâcher beaucoup de blanc pour obtenir ce que vous désirez. Si tel est le cas, plutôt que d'essayer d'y ajouter encore plus de blanc, commencez un nouvel échantillon de couleur mais, cette fois-ci, mettez moins d'orange cadmium dans votre blanc ou ajoutez-y un peu de votre premier mélange au lieu de la couleur pure.

Les échantillons de G à J sont des exemples de couleurs chaudes que vous pouvez ajouter au blanc sans qu'il en soit profondément modifié. Intervertissez les couleurs de vos propres échantillons et essayez d'y ajouter d'autres pigments pour obtenir des résultats qui vous plairont davantage. Les couleurs suivantes se rapportant aux échantillons de la page ci-contre:

G. Blanc de titane,
   citron cadmium et
   orange cadmium.
H. Blanc de titane, jaune
   cadmium clair, citron
   cadmium et cramoisi
   alizarine.
I. Blanc de titane,
   citron cadmium, jaune
   cadmium clair et rouge
   cadmium.
J. Blanc de titane,
   citron cadmium,
   cramoisi alizarine,
   orange cadmium et
   bleu céruléum.

Parfois il est suffisant d'ajouter une seule couleur chaude au blanc. Vous n'avez pas à ajouter plusieurs couleurs: tout dépend de ce que vous cherchez. D'autre part, le dernier échantillon est une bonne combinaison de couleurs présentant à la fois des tons chauds et des tons froids. Essayez-le aussi sans orange.

LES TONS CLAIRS ET FROIDS

Voici quelques suggestions pour obtenir des couleurs froides comme vous le montrent les échantillons de K à N:

K. Blanc de titane, bleu céruléum et cramoisi alizarine.
L. Blanc de titane, bleu outremer et cramoisi alizarine.
M. Blanc de titane, bleu phtalo, cramoisi alizarine et citron cadmium.
N. Blanc de titane, bleu céruléum, cramoisi alizarine et orange cadmium.

Essayez les deux derniers échantillons sans leurs compléments respectifs, le jaune et l'orange. Ces couleurs ajoutent une certaine qualité veloutée au blanc mais en rendent neutre la tonalité. (Ainsi, l'échantillon K est le même que le N mais sans l'orange.)

En préparant vos échantillons, faites en sorte de ne pas mélanger tout d'un seul coup. Conservez un peu de chaque couleur pure dans un coin de votre échantillon ainsi que, dans un autre coin, un modèle du coloris obtenu par mélange.

CONSEILS GÉNÉRAUX POUR LE MÉLANGE DES COULEURS

Lorsque vous mélangez vos couleurs à l'huile, servez-vous d'un pinceau et mêlez-les sur la palette. Ne prenez que de petites quantités de chaque couleur jusqu'à ce que vous obteniez le mélange désiré. (Évidemment, vous aurez déposé de plus grandes quantités de couleurs pures sur le bord de votre palette mais vous n'en prendrez qu'un peu à chaque fois pour votre mélange). Assurez-vous d'avoir bien nettoyé votre pinceau avec de la térébenthine ou de l'essence minérale avant de toucher une autre couleur sinon vous la salirez. De plus, ne mettez jamais au milieu de la palette les couleurs que vous pressez du tube mais arrangez-vous pour les disposer en ordre le long du bord. Et, surtout, placez-les toutes et même celles dont vous ne pensez pas avoir besoin.

On a l'impression de perdre beaucoup de pâte quand on la travaille avec un couteau plutôt qu'avec un pinceau. Si vous aimez peindre de grandes surfaces avec une couleur unie, vous préférerez peut-être faire vos mélanges au couteau. C'est à vous de décider.

Important. Ne jamais mélanger les peintures à l'huile avec de l'eau.

Préparation des verts

L'expérimentation est indispensable pour saisir les couleurs. C'est particulièrement vrai dans la peinture paysagiste étant donné que vous devez souvent préparer vous-même les couleurs dominantes — les verts — à partir d'une certaine diversité de pigments pour obtenir la couleur recherchée. Par exemple, si vous regardez une feuille en particulier d'un gros buisson, le vert est la couleur qui la distinguera. Mais si vous désirez transposer toute la scène sur la toile, la peindre en vert n'est certes pas la bonne réponse. En regardant plus attentivement, vous distinguerez alors d'autres couleurs: des gris bleu-violet sur les arbres au loin, des gris laiteux et même des jaunes dans le buisson lui-même que vous voudrez inclure dans votre tableau. Si vous avez déjà travaillé beaucoup le paysage, vous connaissez probablement un certain nombre de ces mélanges.

En préparant vos échantillons, vous pouvez faire vos propres expériences en substituant d'autres jaunes à celui proposé ici. Ne vous préoccupez pas du nom qu'on leur donne; contentez-vous de voir s'ils sont chauds ou froids et s'ils semblent bien s'intégrer ou s'ils sont dominants. Il est évident que cela concerne toutes les couleurs et pas seulement le jaune. Chaque fabricant a des formules différentes pour ses couleurs comme il a des numéros différents pour ses pinceaux. C'est ainsi qu'un rouge cadmium d'un fabricant pourra presque ressembler à de l'orange alors que celui d'un autre fabricant tirera vers le vermillon qui est plus froid. Les jaunes semblent en particulier varier beaucoup et, quant au bleu céruléum il peut être très opaque dans une marque et beaucoup plus transparent dans une autre.

LES VERTS CHAUDS ET FROIDS

Quand vous préparez des verts, vous

devez savoir lesquelles des couleurs en tube sont chaudes et lesquelles sont froides. Évidemment, il semble logique pour obtenir des verts chauds, par exemple, de commencer avec des couleurs froides. Voyez les échantillons ci-dessous.

Les échantillons A à D sont préparés à partir de tons chauds et froids de jaune et de vert. Les échantillons E à H sont préparés avec des tons chauds et froids de bleu et de jaune. (Certes tous les bleus sont froids mais certains le sont relativement moins que d'autres.) Les échantillons I et J sont préparés avec du noir ivoire et du jaune. Dans tous ces mélanges, on a délibérément ignoré le blanc étant donné qu'il détruit l'intensité de la couleur. En outre, il vous faut d'abord considérer comment ces mélan-ges se font avec de la couleur pure avant de les éclaircir ou d'en changer la teneur.

Les autres mélanges, échantillons K à O, comprennent trois couleurs plus le blanc. Ce dernier groupe donne les combinaisons de couleurs les plus inté-ressantes. À remarquer que, dans cha-cun de ces mélanges tricolores, on peut obtenir des verts à la fois chauds et froids en fonction de la quantité de jaune. Le blanc éclaircit le mélange tout en le rendant plus neutre. Il va de soi que ces mélanges ne sont que des exem-ples parmi un éventail beaucoup plus grand. Vous pourrez en préparer bien d'autres vous-même en faisant des substitutions de couleurs ou en en essayant d'autres dans des combinai-sons qui vous plairont davantage. Ne considérez donc pas ces échantillons comme étant un «guide pratique» pour préparer vos verts mais voyez-les plutôt comme un outil d'expérimentation. Ne vous sentez jamais obligé (e) de toujours vous servir d'un certain jaune ou d'un certain vert ou bleu.

Vous devez apprendre à connaître quelles couleurs seront dominantes dans un mélange et lesquelles seront faibles. Un soupçon de jaune cadmium, par exemple, est bien suffisant. Avec le bleu céruléum qui est une couleur com-parativement faible, si vous mélangez ces deux couleurs, vous devrez prendre plus de bleu et seulement un tout petit peu de jaune cadmium pour obtenir du vert.

PRÉPAREZ VOS VERTS

Les échantillons ci-contre montrent des mélanges qui donnent des verts qu'on retrouve souvent dans la nature. Ils vont des combinaisons vert-jaune les plus répandues en passant par les mélanges bleu-jaune pour finir par des combinai-sons plus complexes impliquant l'addi-tion de blanc. Voici les couleurs com-prises dans ces mélanges:

A. Vert permanent clair et citron cadmium (froid).
B. Vert permanent clair et jaune cadmium clair (plus chaud).
C. Vert de vessie et jaune cadmium (encore plus chaud).
D. Vert émeraude et citron cadmium (plus froid).
E. Bleu céruléum et citron cadmium (froid).
F. Bleu outremer et jaune cadmium clair (plus chaud).
G. Bleu phtalo et citron cadmium (froid).
H. Bleu outremer et ocre jaune (chaud et neutre).
I. Noir ivoire et citron cadmium (froid et neutre).
J. Noir ivoire et jaune cadmium clair (chaud et neutre).
K. Bleu cobalt, cramoisi alizarine, citron cadmium et blanc de titane (velouté, un peu froid).

L. Bleu outremer, rouge cadmium et jaune cadmium clair (plus chaud et un peu dur; le rouge cadmium semble plus difficile à mélanger que le cramoisi alizarine pour obtenir des foncés; le bleu phtalo semble plus facile à utiliser dans les mélanges que le bleu outremer, plus propre: la raison en est pro-bablement que le bleu phtalo et le cramoisi alizarine sont des couleurs transparentes).
M. Bleu céruléum, cramoisi alizarine, citron cadmium et ocre jaune. (L'ocre est ici simple couleur expérimentale; vous pouvez l'ignorer étant donné qu'il ajoute de l'opacité à un mélange par ailleurs réussi.)
N. Bleu phtalo, cramoisi alizarine, citron cadmium et blanc de titane. (Ces couleurs sont bien miscibles mais vous pouvez essayer le jaune cadmium au lieu du citron cadmium.)
O. Bleu outremer, cramoisi alizarine et jaune cadmium clair. (À cause du jaune et du bleu plus chauds, ce mélange a tendance à donner un vert plus chaud.)

M

N

O

Préparation des gris

Les gris ne doivent jamais être de simples gris et tout bon gris doit être une couleur riche même s'il reste discret.

DE BEAUX GRIS

Les échantillons de peinture, comme ceux illustrés ci-dessous, peuvent avoir une certaine beauté en eux-mêmes, peut-être à cause de la couleur pure voisinant avec une autre déjà partiellement mélangée et offrant un «arc-en-ciel» avec des tons gris. Ces échantillons vous montrent non seulement comment préparer des gris mais aussi comment vous en servir quand vous peignez à l'huile. Une couleur pure en combinaison avec une autre plus neutre permet de dégager une richesse autrement impossible avec une combinaison de couleurs d'intensité égale. En outre, les couleurs partiellement mélangées sont souvent plus intéressantes que celles mélangées à fond. En préparant vos gris, n'essayez pas de les mélanger complètement mais assurez-vous de pouvoir discerner chacune des couleurs entrant dans le mélange.

Éduquez également votre oeil pour en évaluer les proportions. La couleur finale obtenue est autant le résultat des proportions qui interviennent dans le mélange que les couleurs employés.

Mélanger des couleurs complémentaires est la manière habituelle d'obtenir des gris. Les échantillons ci-dessous comprennent les couleurs suivantes:

A. Vert de vessie, cadmium
   rouge clair et
   blanc de titane.
B. Vert émeraude,
   cramoisi alizarine et
   blanc de titane.
C. Vert de vessie, terre
   de Sienne brûlée et
   blanc de titane.
D. Bleu outremer,
   orange cadmium et
   blanc de titane.
E. Bleu céruléum,
   orange cadmium et
   blanc de titane.
F. Bleu phtalo, cramoisi
   alizarine et
   jaune cadmium.
G. Bleu outremer, cramoisi
   alizarine et jaune ocre.
H. Bleu cobalt et
   terre d'ombre brûlée.
I. Bleu outremer, terre
   d'ombre naturelle
   et blanc de titane.

Il ne s'agit là que d'un certain nombre des mélanges que vous pouvez employer.

LES GRIS CHAUDS ET FROIDS

Essayez de mélanger des complémentaires froides comme l'émeraude ou le bleu phtalo et le cramoisi alizarine avec un citron cadmium froid pour vos couleurs froides et servez-vous de complémentaires chaudes comme le vert de vessie ou le bleu outremer et l'orange cadmium pour vos couleurs chaudes. Au départ, vous devez connaître la chaleur ou la froideur relative des couleurs de la même famille chromatique. Ainsi, tous les bleus sont froids mais les bleus phtalo et céruléum ont tendance à être des bleus froids alors que l'outremer est plus chaud. Le cramoisi alizarine est une couleur froide de la famille des rouges et le citron cadmium est plus froid que le jaune cadmium clair. Il est évident que vous ne devez pas vous en tenir à mélanger des complémentaires froides. Vous pouvez mélanger des complémentaires chaudes et froides. Par exemple, l'échantillon C comprend un bleu céruléum froid et un orange cadmium chaud.

Examinez bien ces échantillons et voyez quelles combinaisons sont chaudes et lesquelles sont froides. À remarquer que, dans chaque échantillon, il y a des parties chaudes aussi bien que des froides selon la couleur dominante du mélange.

Préparation des couleurs chair

Les couleurs dont vous vous servez pour obtenir les tons chair n'ont pas grand-chose à voir avec la couleur de la peau proprement dite. Ce qui importe sont les quantités et les proportions des couleurs dans le mélange, la partie du corps où vous les placez et comment vous les reliez à l'ensemble de votre sujet.

LES COULEURS DE BASE

Les échantillons de cette page montrent les mélanges de base dont Charles Reid se sert pour les couleurs chair. Ils comprennent ordinairement un rouge (rouge cadmium) et un jaune (jaune cadmium, jaune cadmium clair, ocre jaune, terre de Sienne naturelle) pour les tons chauds. Pour leur donner une tonalité froide, il se sert de bleu céruléum pour les parties claires et de vert émeraude pour les parties foncées.

Il n'y a pas d'échelle de proportions à suivre spécifiquement, mais vous aurez peut-être tendance à mettre plus de rouge cadmium dans votre mélange que de jaune cadmium parce que le jaune est une couleur plus forte. Servez-vous des mêmes couleurs pour les parties éclairées ou dans l'ombre en remplaçant peut-être la terre de Sienne naturelle par de l'ocre jaune pour les ombres.

Les échantillons de cette page comprennent les couleurs suivantes:

J. Blanc de titane, rouge cadmium et jaune cadmium.
(Essayez d'abord ce mélange avant d'y ajouter une complémentaire comme le bleu ou le vert.)

K. Blanc de titane, rouge cadmium clair, jaune cadmium pâle (ou citron cadmium ou jaune cadmium ou tout autre jaune que vous préférez) et bleu céruléum ou vert permanent clair.
(C'est une couleur chair de base à essayer. Mélangez toutes les couleurs ci-dessus pour n'en faire qu'un seul ton ou bien ne vous servez seulement que du rouge et de l'un des jaunes avec une couleur complémentaire. Il n'y a pas de formule définitive. Vous devez expérimenter!)

L. Blanc de titane, ocre jaune, rouge cadmium, l'un des jaunes cadmium et bleu céruléum ou vert permanent clair.
(Ce mélange vous donnera une couleur chair plus subtile et moins vibrante que les autres parce que l'ocre jaune est une couleur discrète; il est inclus ici parce que certains étudiants peinent avec le jaune en voulant trop en mettre de sorte que le mélange devient orange.)

M. Blanc de titane, terre de Sienne naturelle ou ocre jaune, jaune cadmium et vert émeraude ou bleu outremer.
(Ce mélange est plus foncé que les autres; essayez-le pour les ombres ou les teints plus foncés).

LES DIFFÉRENTS TEINTS DE PEAU

Il n'y a pas de couleur spécifique pour peindre les teints de peau des Noirs, des Méditerranéens ou de tout autre groupe ethnique. Vous pouvez vous servir des mêmes couleurs: la différence se trouve dans les proportions et dans le foncé que vous désirez obtenir. Ainsi, vous emploierez les mêmes couleurs pour les *ombres* sur une peau blanche que pour les parties *éclairées* d'une peau noire. Il est vrai que, pour une peau sombre, les couleurs seront en général plus foncées et certaines tonalités seront plus visibles; ainsi, par exemple, vous ferez plus attention aux bleus. Mais il y a aussi des tons bleus sur une peau blanche. En fait, un mélange pour teint clair devrait comprendre plus de bleu et moins de rouge-jaune que pour une peau olivâtre. C'est pourquoi il n'existe pas de recettes établies pour peindre les tons de peau parce que les proportions des couleurs sont aussi variées que la complexion de chaque personne.

La proportion des couleurs chaudes et des couleurs froides dépend aussi des vêtements portés par le modèle étant donné que le tissu reflète ses couleurs sur la peau; celle-ci est également influencée par les couleurs de l'environnement et la tonalité générale du tableau. On ne peut isoler les couleurs chair du reste de la scène. Vous devez harmoniser et lier toutes vos couleurs. C'est ainsi qu'un teint chaud circonscrit par une couleur froide pourra paraître déphasé à moins que les deux parties ne s'intègrent l'une à l'autre.

PEINDRE LA NATURE

Les peintres paysagistes sont fascinés par la beauté
de la nature. Les nombreuses facettes du paysage
naturel les émeuvent et les défient en même temps,
qu'il s'agisse d'un champ ensoleillé bordé d'arbres
noueux ou d'une route sinueuse avec des montagnes
au loin et un ciel nuageux gris-bleu.
Le but de ce chapitre est de vous montrer comment
d'éminents paysagistes professionnels composent,
étape par étape, leurs tableaux. Vous apprendrez
comment ces peintres mélangent leurs couleurs pour
obtenir l'effet désiré, comment ils se servent au départ
de couleurs fortes (pour les adoucir ensuite si
nécessaire), comment ils développent les formes,
comment ils choisissent des tons chauds ou froids et
des couleurs claires ou foncées, comment ils peignent
à petites touches ou encore utilisent un frottis pour
suggérer des branches ou des buissons touffus.

Perspectives montagneuses

1. Après avoir brossé rapidement au pinceau des tons froids (du bleu adouci par une touche de brun) qui reflètent la couleur d'ensemble du paysage, l'artiste a défini la masse des montagnes avec un mélange d'un bleu chaud et assourdi (outremer ou cobalt), d'ocre jaune et de cramoisi alizarine. À remarquer que chaque volume est plus foncé au sommet pour s'éclaircir vers le bas de façon à rendre plus distinctes les séparations entre les masses. Les nuages ont été amorcés avec un mélange de ces trois mêmes couleurs primaires adoucies avec du blanc.

2. Ensuite, l'artiste a introduit des tons plus brillants au premier plan. Application de jaune vif avec un soupçon de rouge qu'on obtient en mélangeant du jaune et du bleu (jaune cadmium clair et outremer ou bleu phtalo pour plus d'intensité) ou en combinant du jaune et du vert (jaune cadmium clair et vert émeraude ou phtalo pour plus d'intensité) qu'on souligne avec un soupçon de rouge cadmium clair ou de terre de Sienne brûlée. Le vert sombre des arbres est une combinaison de bleu et de brun (bleu phtalo ou de Prusse et terre de Sienne brûlée) ou de vert et de brun (vert émeraude et terre de Sienne brûlée). Les ombres foncées sous les arbres sont peintes avec les mêmes mélanges.

3. (page ci-contre, en haut) Au premier plan, à droite et à gauche, mise en place de verts plus vifs sur les arbres. Comme pour l'herbe, ces verts peuvent être une combinaison de jaune et de bleu ou de jaune et de vert: jaune cadmium clair, outremer pour un vert plus délicat, bleu phtalo ou de Prusse pour un vert plus rigoureux, vert émeraude ou encore vert phtalo qui est plus brillant. Les tons chauds des arbres sont d'une couleur de terre rouge-brun comme la terre de Sienne brûlée ou le rouge vénitien, ce dernier est si fort qu'on doit l'utiliser avec parcimonie. L'artiste a donné plus de vie au ciel avec de l'ocre jaune et assombri la masse montagneuse la plus proche avec du bleu pour mieux la distinguer des montagnes par derrière.

L'artiste a animé l'herbe avec une couleur plus chaude (rouge cadmium clair ou terre de Sienne brûlée) et a ajouté au lac un reflet chaud (cramoisi alizarine). Il a défini la forme du chemin et ajouté des piquets de clôture pour la perspective; il a bien situé la maison ainsi que les ombres à droite. La maison est un mélange de bleu et de brun et le ton chaud de la route est donné par du rouge cadmium clair. À remarquer qu'à cette étape, l'artiste a continué de tra-

vailler les masses montagneuses au loin. Le lac reflète la même combinaison bleu-cramoisi-jaune-blanc utilisée pour les nuages.

4. (page ci-contre, en bas) Les différents plans montagneux sont mainte-

nant bien définis et l'artiste en a travaillé les derniers détails (soleil sur le feuillage, herbe au premier plan, troncs des arbres et branches) et a entrepris d'assourdir les couleurs. Il est bon de commencer avec des couleurs fortes pour les assourdir ensuite plutôt que de débu-

ter avec des couleurs assourdies pour les rehausser ensuite. L'artiste a ensuite entrepris de mettre plus de couleurs froides dans le ciel: plus de bleu, un soupçon d'ocre jaune et du blanc. Il a foncé les montagnes les plus proches avec une addition de bleu et a détaillé plus distinctement les reflets dans le lac. Il a renforcé le foncé des arbres. En choisissant votre palette pour ce genre de paysage, n'oubliez pas que l'outre-mer vous donne des verts plus délicats alors que le bleu phtalo ou de Prusse vous donne des verts plus brillants (le vert phtalo encore plus). Le jaune cadmium clair est indispensable, tandis que la terre de Sienne brûlée, le cramoisi alizarine ou le rouge vénitien sont primordiaux pour les tons chauds. Pour le ciel, vous choisirez entre le bleu cobalt et l'outremer.

Reflets d'automne dans l'eau

1. Au départ, l'artiste a entrepris de situer la forme du ruisseau en traçant avec soin les lignes des deux rives et en mettant en place quelques détails comme billots flottants, rochers et surtout les arbres les plus gros se dressant de chaque côté de l'eau. Il n'a pas oublié la forme feuillue de l'arbre au milieu du tableau étant donné que cet arbre-là influencera par son éclat la couleur du ruisseau. L'artiste a peint l'arbre et son reflet avec du jaune cadmium clair et juste un soupçon de rouge cadmium clair. Le reflet orange et le petit arbre au-dessus sont également un mélange de jaune cadmium clair et de rouge cadmium clair. La tache de vert froid (jaune cadmium clair et bleu outremer ou émeraude) donne du relief à cette couleur chaude. À cette étape, il devient évident que la plupart des couleurs de l'eau refléteront les couleurs chaudes du paysage entourant le ruisseau; l'eau ne sera presque pas rendue dans des tons froids.

2. Étant donné que l'eau tire ses couleurs de l'environnement, l'artiste a appliqué en même temps les couleurs du sous-bois et de ses reflets. Le jaune cadmium clair et le rouge cadmium clair ont été atténués avec de la terre de Sienne brûlée et une touche de bleu outremer pour les tons plus sombres. Le violet est un mélange de bleu outremer et de cramoisi alizarine. Le gris des roches et des troncs d'arbres sont un mélange de bleu et de brun avec du bleu outremer et de la terre de Sienne brûlée ou de la terre d'ombre brûlée.

3. (page ci-contre, en haut) Ensuite, l'artiste s'est concentré sur le bleu du ciel qui se reflète dans les rapides au premier plan. Il a peint le ciel et les rapides avec son mélange préféré de bleu cobalt, cramoisi alizarine, ocre jaune et blanc. Dans les rapides, cette combinaison se mêle aux reflets chauds de la forêt; les parties foncées sont peintes avec une combinaison de bleu et de brun comprenant de l'outremer ou du bleu phtalo et de la terre de Sienne brûlée ou du rouge vénitien. L'artiste a commencé à utiliser des touches foncées de ce même mélange de couleurs pour les troncs d'arbres, les billots et les roches. Les arbres en haut à gauche atteignent maintenant la limite de la toile et l'artiste a commencé à travailler le feuillage et les feuilles mortes à l'aide de touches plus petites.

4. (page ci-contre, en bas) Toute la toile est maintenant couverte de peinture humide et l'artiste peut désormais se concentrer sur les détails. Pour renforcer le contraste entre les rapides au premier plan et les reflets dans l'eau calme par derrière, il a appliqué plus de couleur — mélange de bleu et de blanc — dans le coin gauche. Il a également ajouté des «trous de ciel», en couleur froide, dans le feuillage en haut de la toile. Il a introduit des jaunes et des jaune-orange plus délicats dans les arbres et a atténué l'unique tache de vert jusqu'à ne plus être qu'une simple touche froide qui se reflète dans l'eau. La tonalité chaude au bout du ruisseau est devenue plus claire et plus atmos-

phérique. Les troncs d'arbres sur la droite offrent une riche combinaison de gris à partir d'un mélange de bleu et de brun. Enfin, l'artiste a fait ressortir les effets du soleil sur les feuilles, les troncs et les branches, ainsi que sur les feuilles flottant sur l'eau et les feuilles mortes au premier plan, avec des touches légères du pinceau. À remarquer comment de nombreux tons froids apparaissent au milieu des passages chauds. Pour ce genre de paysage, les couleurs les plus importantes de la palette sont le jaune cadmium clair et le rouge cadmium clair; un bleu assourdi comme le cobalt ou l'outremer avec l'aide d'un bleu plus froid, plus fort comme le bleu phtalo ou de Prusse pour les effets d'eau; le cramoisi alizarine, la terre de Sienne brûlée et peut-être le rouge vénitien pour les touches de tons plus chauds, sans oublier l'ocre jaune et la terre d'ombre brûlée dans les parties neutres.

Dans les tons chauds et froids

1. L'artiste a peint les troncs d'arbres dans des tons chauds qui préfigurent la tonalité globale chaude des couleurs à venir. Puis, il a entrepris d'amorcer le ciel avec un mélange délicat des trois primaires (rouge, bleu et jaune). Pour un ciel dégagé, il préfère le bleu cobalt à l'outremer un peu plus lourd, en y ajoutant du cramoisi alizarine, de l'ocre jaune et du blanc.

Il a commencé à peindre les parties des arbres proches et suggéré la forme sombre d'un tronc abattu au premier plan en utilisant pour cela de la terre d'ombre brûlée qui est un brun plus lourd que la plupart des autres terres. Les couleurs du ciel descendent jusqu'à la ligne d'horizon dans des tons plus foncés où se combinent le bleu cobalt, le cramoisi alizarine, l'ocre jaune et le blanc.

2. Ensuite, l'artiste a appliqué des couleurs chaudes tout le long du premier plan mais dans des tons plus sourds que ceux plus vivaces des arbres. Pour obtenir les couleurs du premier plan, les terres jaune-brun et rouge-brun — ocre jaune, terre de Sienne naturelle, terre de Sienne brûlée — sont particulièrement efficaces; on peut les renforcer avec du jaune cadmium clair ou du rouge cadmium clair. Les masses de feuillage sont peintes avec un mélange plus vif de jaune cadmium clair, rouge cadmium clair et cramoisi alizarine, adouci avec du blanc, des terres brunes et un soupçon d'un bleu chaud et sourd comme l'outremer ou le cobalt. À remarquer les couleurs du ciel qui apparaissent dans les arbres.

3. Maintenant que toute la toile est couverte de couleur humide, l'artiste a entrepris de cerner la forme des troncs d'arbres, le bord des feuillages et les arbres sur la gauche. Les troncs foncés sont peints surtout avec de la terre d'ombre brûlée combinée avec du blanc, du bleu et un soupçon de cramoisi alizarine. L'arbre à l'extrême gauche comprend surtout du cramoisi alizarine et du bleu outremer.

4. Une fois toutes les masses bien définies, l'artiste a pu se concentrer sur les détails. Des touches vives de jaune, jaune-orange et orange se sont ajoutées au feuillage. Il a introduit quelques trous bleus de ciel dans les couleurs chaudes du feuillage. Avec un pinceau fin et effilé, il a tracé les lignes des branches et des ramilles, des herbes et des plantes diverses ainsi que des feuilles mortes au sol. Les tons chauds du jaune cadmium clair et du rouge cadmium clair ont été légèrement assourdis par des terres pour les empê-

cher de trop ressortir. À remarquer comment l'artiste a mis un soupçon de bleu sur les troncs d'arbres pour rendre les foncés plus froids. Sur cette palette, les couleurs les plus importantes pour ce genre de paysage sont le jaune cadmium clair et le rouge cadmium clair, un bleu sourd comme le cobalt ou l'outremer, peut-être avec un peu de bleu phtalo ou de Prusse pour les foncés, le cramoisi alizarine avec parcimonie et un certain éventail de terres comprenant l'ocre jaune ou la terre de Sienne naturelle, la terre de Sienne brûlée ou le rouge vénitien, et la terre d'ombre brûlée pour les bruns les plus lourds à condition que cette tonalité foncée n'écrase par les couleurs plus vives du tableau.

Des couleurs pleines de soleil

1. L'artiste a commencé par tracer une esquisse avec des gris pour amorcer le chemin et les arbres au premier plan en s'attardant en particulier sur l'arbre noueux à gauche qu'il peignit avec des touches plus précises que le reste du paysage. Sauf pour quelques coups de pinceau suggérant d'autres arbres au loin, il n'a pas essayé d'en définir le feuillage qu'il se réserve de faire plus tard. Les gris employés ici ont ceci d'intéressant qu'ils sont obtenus à partir de mélanges de bleu et de brun plutôt qu'avec du blanc et du noir.

Dans ce tableau, la forme la plus complexe est le vieil arbre que l'artiste a commencé de peindre dans de beaux tons de gris. Ces gris hauts en couleur sont toujours des mélanges de bleus divers (outremer, phtalo ou de Prusse) et de terres brunes (terre d'ombre brûlée, terre d'ombre naturelle, terre de Sienne brûlée ou rouge vénitien) avec de l'ocre jaune pour suggérer la chaleur. Les couleurs chaudes sur les bords, en particulier la lumière réfléchie sur les ombres à gauche, peuvent être de la terre de Sienne brûlée ou du rouge vénitien. Cette touche brillante de lumière réfléchie sera assourdie par la suite mais il est toujours préférable de commencer avec des couleurs fortes pour les assourdir ensuite dans les étapes suivantes.

2. Les verts vifs et les vert-or comme ceux du premier plan sont généralement des combinaisons jaune et bleu ou jaune et vert. Le jaune cadmium clair et le bleu phtalo (ou le bleu de Prusse) donnent des verts et des jaune-vert très vifs. Il en est ainsi du jaune cadmium clair et du vert émeraude ou phtalo. L'artiste a également rehaussé ces zones ensoleillées avec un ton rougeâtre donné par le rouge cadmium clair ou la terre de Sienne brûlée. Les parties ombragées du chemin sont peintes avec des mélanges semblables à ceux des troncs d'arbres, tandis que les parties plus claires contiennent de l'ocre jaune, une touche de rouge cadmium clair et pas mal de blanc.

3. (page ci-contre, en haut) Les tons du premier plan — verts et jaune-vert vifs — continuent jusqu'aux arbres du fond. Les jaune-vert ensoleillés sont rehaussés avec du rouge cadmium clair. L'artiste a introduit des bleus pâles (outremer ou le bleu cobalt plus délicat) dans les bouleaux à droite et a ajouté de vives touches de la même couleur que le chemin sur les troncs d'arbres qui sont en bordure. Dans les ombres sur le chemin, il a brossé des couleurs froides contenant plus de bleu. Pour obtenir les

tons de vert très profond, comme l'a fait ici l'artiste, on peut employer du bleu phtalo ou de Prusse avec de la terre de Sienne brûlée ou encore du vert émeraude avec de la terre de Sienne brûlée.

4. (page ci-contre, en bas) Maintenant que toute la toile est couverte de couleur humide, l'artiste est retourné à des pinceaux plus petits pour fignoler les détails. Partout dans le feuillage, il a ajouté des touches de jaune-vert pour suggérer les feuilles vibrant sous la lumière vive du soleil. Il a peint des

pierres et des mauvaises herbes sur le chemin qui offre des tons plus froids dans l'ombre. Il a également assourdi les taches de lumière sur le chemin avec de l'ocre jaune et du blanc; il a brossé des gris plus froids, contenant plus de bleu, sur le tronc du vieil arbre noueux bien qu'on aperçoive encore un soupçon d'ombre aux tons chauds sur le côté gauche. La cavalière et le cheval vinrent s'ajouter ensuite à la scène avec d'autres branches, herbes et plantes, ainsi que des trous de ciel en haut. L'artiste a ensuite assourdi en les pâlissant les taches de lumière sur les troncs d'arbres. La palette d'un tel paysage ensoleillé doit comprendre les deux jaunes de base; le jaune cadmium clair et l'ocre jaune; le bleu phtalo ou de Prusse pour obtenir des verts vifs et des tons foncés très riches; le bleu outremer (ou encore le cobalt) pour les verts plus délicats et les gris chauds et froids; le rouge cadmium clair, et le vert émeraude ou phtalo pour remplacer le bleu dans certains mélanges de vert.

Avec des couleurs douces et fortes

1. Après avoir brossé simplement la scène dans des tons froids, l'artiste a entrepris d'amorcer les couleurs principales qui apparaîtront le long de la rive et dans l'eau. Il s'est servi de bleus profonds comme le bleu phtalo ou de Prusse avec de la terre de Sienne brûlée, du rouge vénitien ou un rouge clair pour les tons plus chauds. Les verts vifs et profonds sont obtenus en combinant le jaune cadmium clair et le bleu phtalo ou de Prusse avec à l'occasion un soupçon de terre rouge-brun.

2. Pour obtenir un ciel doux, l'artiste a choisi un bleu plus assourdi comme l'outremer ou le cobalt en y ajoutant du cramoisi alizarine et de l'ocre jaune. Ces couleurs se retrouvent dans l'eau pâle en bas à gauche. Les verts profonds de la ligne de la rive à droite — avec le même mélange qu'à l'étape précédente — se reflètent également dans l'eau. La tache de lumière sur le flanc de la montagne est du jaune cadmium clair avec une touche d'un bleu vigoureux comme le bleu phtalo ou de Prusse. Pour les touches de brun, l'artiste a appliqué de la terre de Sienne brûlée dont on aperçoit vaguement le reflet dans l'eau. Les coups de pinceau suivent le contour des montagnes.

3. L'artiste a donné des tons plus froids aux nuages avec des mélanges de bleu et de blanc. Il a renforcé le contour du paysage avec des noirs vifs — qu'on obtient avec des mélanges de terres rouge-brun et de bleu de Prusse — combinés avec addition de jaune cadmium clair dans les parties plus brillantes. Il s'est ensuite attaqué aux détails comme le flanc de montagne ensoleillé et les rides sur l'eau qu'il a traités avec de petits coups de pinceau. Les rides sont autant de touches de bleu qui reflètent la couleur du ciel. À remarquer le nombre de tons chauds qu'on trouve dans cette tache claire que forme l'eau. Ces mêmes tons chauds apparaissent dans les nuages. Dans ce genre de paysage, les deux sortes de bleu ont beaucoup d'importance: un bleu froid, pro-fond et vigoureux comme le phtalo ou le bleu de Prusse pour les tons profonds, et un bleu plus doux, plus sourd comme l'outremer ou le cobalt pour les bleus et les gris plus doux. Le ciel contient également du cramoisi alizarine et de l'ocre jaune. Les tons foncés sur la montagne contiennent une terre rouge-brun comme la terre de Sienne brûlée, le rouge vénitien ou le rouge clair. Pour rendre le ciel et l'eau, l'artiste utilise des mélanges de couleurs où entre beaucoup de blanc. Sauf pour les rides sur l'eau au premier plan, ce genre de tableau ne comporte que peu de détails, ce qui veut dire très peu de petites touches de pinceau. Peindre le ciel, des montagnes et de l'eau, c'est peindre à grands coups de pinceau.

Montagnes sur fond de ciel

1. Paul Strisik a peint ce bosquet de trembles dont les troncs s'élèvent avec dignité sur un fond de montagnes à la fois lumineux et nuageux. Sur le motif, les montagnes et les champs à l'arrière-plan étaient trop horizontaux: avec la verticalité des arbres, ils formaient une série d'intersections de lignes droites. Dans sa première esquisse, l'artiste a diversifié les éléments pour rendre la composition plus intéressante en donnant aux montagnes un contour plus dénivelé et a diminué l'importance des sapins et du champ derrière pour mieux insister sur la hauteur des trembles.

Il a peint le ciel avec un lavis d'un gris très clair mélangé à de l'ocre jaune et du bleu cobalt. Les montagnes au loin sont brossées avec de l'outremer assourdi de noir ivoire et rehaussé de rouge cadmium moyen. L'artiste a composé un mélange de terre de Sienne brûlée et de bleu outremer pour les champs à l'arrière-plan et de terres de Sienne brûlée et naturelle pour le premier plan, et s'est servi de terre de Sienne brûlée et de noir ivoire pour les taillis. Pour les sapins, il a fait un mélange de tons chauds avec du bleu phtalo et de la terre de Sienne brûlée et, avec un chiffon, a essuyé un peu du lavis à la térébenthine pour éclaircir le tronc des trembles. Il a remarqué que les troncs foncés paraissaient clairs par rapport à l'arrière-plan sombre des montagnes mais foncés par rapport au ciel lumineux et nuageux. Ce genre de perception d'intensité des tons arrive souvent dans la nature. Les étudiants se concentrent tellement sur la couleur d'un objet donné qu'ils en oublient souvent sa valeur en rapport avec l'ensemble. Même si les trembles sont des arbres clairs, leurs formes se détachent nettement sur un fond de ciel beaucoup plus clair.

2. Ici, l'artiste a appliqué une pâte plus épaisse pour le ciel en se servant de noir ivoire et de blanc puis il a brossé la montagne d'une façon plus unie avec les mêmes couleurs qu'auparavant mais avec plus de pâte et de blanc pour leur donner du corps. Paul Strisik a utilisé plusieurs couleurs pour le plan horizontal du sol: ocre jaune et terre de Sienne naturelle avec un peu de gris, de terre de Sienne brûlée et, à l'occasion du rouge cadmium moyen et du noir ivoire pour les taillis.

3. L'artiste a fignolé le ciel avant d'entreprendre les branches des arbres puis il a commencé à peindre les embranchements principaux. Il a simplement esquissé le reste plutôt que de peindre les centaines de petites branches (ce qui aurait créé un fouillis) en brossant un mélange de rouge-violet neutre. Il a ensuite ajouté et enlevé des branches jusqu'à ce que les volumes deviennent intéressants. Sur la droite, il a ajouté un arbre foncé pour remplir un espace trop dénudé et a conservé les sapins (mélange de noir ivoire et de rouge cadmium) et les taillis, tout simplement pour former un arrière-plan aux trembles. À ce moment-là, il en savait suffisamment pour terminer le tableau en atelier.

4. Dans son atelier, l'artiste a ajouté des tons plus clairs au-dessus du contour des montagnes pour créer une atmosphère dans le lointain (bleu outremer, blanc et une touche de noir ivoire). En éclaircissant cette partie, il suggère un effet de ciel brillant qui donne de la profondeur. Le ciel paraît maintenant plus lumineux.

Il a travaillé les branches, ajouté un arbre à gauche — pour empêcher l'oeil de sortir du tableau — et complété avec quelques feuilles rouges (terre rose) et jaune (ocre jaune). L'artiste s'est servi de terre de Sienne naturelle là où les feuilles sont foncées sur fond de ciel. Il n'a pas trop insisté à ces endroits étant donné qu'une tache isolée peut retenir plus l'attention qu'une grande masse. Au premier plan, il a également ajouté des ramilles et du buisson. Comme il ne pouvait peindre chaque branche, il en a esquissé les formes avec un mouvement de haut en bas du pinceau par un frottis argenté (noir ivoire et blanc) dans le but de suggérer la manière dont croissent les taillis. Quelques branches foncées viennent donner du corps à ce frottis.

N.B. Terre rose = rouge de Pouzzoles

Trembles (41 × 30 cm)
par Paul Strisik

Des nuages dans le ciel

1. (ci-dessus) Paul Strisik a d'abord découvert ce paysage par une belle journée ensoleillée mais sentit qu'il serait idéal à peindre par un temps lumineux mais nuageux. Il avait particulièrement aimé l'arbre solitaire qui se détachait contre le ciel et s'était senti également attiré par les mouvements dynamiques et contraignants du paysage ondulé.

Pour commencer, l'artiste a amorcé la scène avec des lavis en exagérant les lignes contrastantes et entrelacées des arbres et des collines. Il a peint la montagne au loin avec du bleu cobalt et du rouge cadmium moyen et a combiné un mélange de terre de Sienne brûlée et de bleu phtalo pour les sapins de l'arrière-plan. Les buissons du premier plan sont peints surtout avec de la terre de Sienne brûlée assourdie de bleu outremer. Pour peindre le sentier, il a eu recours à de l'ocre jaune assourdi par un peu de noir ivoire. Les roches du premier plan sont brossées avec du noir ivoire et du blanc, l'arbre principal avec du noir ivoire et le ciel avec un lavis léger de noir ivoire.

C'est peut-être beaucoup de noir mais les lavis de cette couleur suggéreront la qualité d'un ciel gris-argent et se marieront bien aux verts et aux jaunes qui seront ajoutés par la suite au tableau. Au moment où l'artiste ajoutera ces tons chauds, les gris prendront un délicat reflet violet.

2. (page ci-contre, en haut) Lors de cette étape, l'artiste a fignolé le ciel en lui donnant plus d'épaisseur avec un mélange de noir ivoire et de blanc, additionné de touches de jaune cadmium et de blanc dans les parties plus claires. Dans la région éloignée du soleil, le ciel devient moins chaud et brillant et c'est pourquoi il a remplacé le jaune cadmium par de l'orange. Comme l'atmosphère de la scène est très subtile, il a essayé d'en varier les coloris de façon à ce que cette modification soit plus sentie que perçue. Pour être certain que le ciel ait moins de poids dans sa partie éloignée du soleil, il l'a engrisaillé avec des touches de noir ivoire et de blanc.

3. (en bas) Après avoir peint le ciel, l'artiste s'est occupé des branches de l'arbre. À cette époque, le tableau a reçu sa composition définitive. Toute finition supplémentaire ajouterait certes à l'ensemble mais n'aurait guère d'importance dans la structure même de l'oeuvre.

L'artiste a mis en évidence la qualité tonale de cette journée nuageuse avec un frottis gris-argent reflétant les valeurs du ciel sur le sol. À remarquer, pour en citer un exemple, comme le sentier est clair et gris à son point le plus élevé. Le rouge cadmium moyen, le noir et le blanc ont donné à l'artiste le mélange dont il avait besoin pour les centaines de petites branches se détachant contre le ciel. Il a introduit sur la gauche des piquets et des roches pour contrebalancer les sapins foncés à droite. À remarquer, en passant, que l'artiste a dessiné avec plus de soin les arbres se trouvant en avant tout en donnant aux sapins une impression de masse: ce qui lui a permis de souligner cette masse sans la briser. Plus tard, dans son atelier, il a fait quelques petites modifications et corrections pour terminer son tableau.

L'arbre sentinelle (41 × 51 cm)
par Paul Strisik

L'unité dans les couleurs

1. Paul Strisik a trouvé cette cabane à sucre particulièrement intéressante à peindre parce qu'elle était faite avec de vieux matériaux. Du fait de son manque de cohésion, le bâtiment offrait à la vision des formes et une atmosphère bien particulières.

L'artiste a surbaissé la montagne et en a modifié la forme de façon à ne pas lui donner un air arrondi. Dès le début, il a essayé d'inscrire un fort contraste de tons clairs et foncés. Il a peint la montagne avec du bleu outremer teinté de rouge cadmium moyen et les ombres avec de l'outremer mélangé à de la terre de Sienne brûlée. Toutes les zones foncées sont, à cette étape-là, peintes de la même couleur car l'artiste s'est efforcé de circonscrire une valeur plutôt qu'une couleur. Il a brossé le premier plan avec un lavis léger d'ocre jaune.

2. Il a peint la montagne en aplat et plus massivement. Il a ajouté une tache pour suggérer le vert des champs dans le lointain en se servant d'un mélange de bleu cobalt et d'ocre jaune assourdi par une touche de la tonalité gris-violet de la montagne. Il a brossé les taches du toit rouillé avec un mélange de rouges chauds et sourds (surtout de terre rose) et de terre de Sienne brûlée avec des soupçons de bleu cobalt et de blanc pour les parties plus froides. Le papier goudronné de l'appentis est peint avec du bleu outremer, du cramoisi aliza-rine et du blanc, rehaussés d'ocre jaune. Il en résulte une impression de foncé mais reflète le genre de vibration qu'on s'attend de voir sur une surface foncée éclairée par le soleil. Le mur de la cabane à sucre contient du noir ivoire, du blanc et de l'ocre jaune. L'artiste s'est beaucoup servi du ton chaud de

la terre de Sienne brûlée pour les zones foncées de l'intérieur afin de donner l'impression de pénétrer par le regard dans la mystérieuse pénombre. Le sol est un mélange de terre de Sienne naturelle et de blanc.

3. À cette étape, l'artiste a entrepris de mettre les arbres en place avec du bleu phtalo et de la terre de Sienne brûlée et a défini les parties ensoleillées avec du bleu phtalo et de l'ocre jaune. Il a ajouté des détails au toit et aux murs ainsi qu'il a placé quelques arbres devant l'appentis pour attirer le regard vers la clairière. En donnant aux branches un ton clair (ocre jaune et blanc), il a ajouté de l'éclat au premier plan et a gratté quelques branches avec le manche de son pinceau. Il a inscrit d'autres feuilles ainsi que des détails sur la porte de l'appentis jusqu'à ce que son tableau soit suffisamment avancé pour qu'il puisse le terminer en atelier.

4. Une fois dans son atelier, l'artiste a senti qu'il n'y avait pas assez de foncé dans cette scène et a donné alors plus de valeur aux sapins derrière. Il a également modifié le contour de la montagne en renforçant sa forme et a ajouté du bleu à son sommet pour lui donner du recul. Il a éclairci le sol devant la porte ouverte de l'appentis pour mieux le distinguer de la partie plus à l'ombre du premier plan. Il a de plus ajouté plus de reflet du ciel sur les toits du bâtiment. Ces rajouts subtils répartissent mieux les couleurs sur toute la toile en lui donnant plus d'unité.

La cabane à sucre Griffin (30 × 41 cm)
par Paul Strisik

Valeurs et tons froids

1. Richard Schmid a peint ce paysage dans une tonalité d'ensemble grise et froide soulignée par les changements de température plus que par les changements de couleurs évidents. Avec l'aide de mélanges transparents, il a circonscrit à cinq valeurs les principaux éléments du tableau. La toile blanche et les zones les plus claires englobent la plupart des parties du premier plan et du ciel. Il a mélangé du noir ivoire et de la terre de Sienne brûlée pour les foncés les plus sombres (en bas de l'arbre à droite et sur le dessous de ses plus basses branches) et pour les demi-tons foncés des troncs et des branches des arbres où la terre de Sienne brûlée prédomine légèrement. La forme foncée et chaude à droite est de la terre de Sienne brûlée sans rien d'autre. L'artiste s'est servi de deux tonalités moyennes: un mélange froid de cobalt et d'ocre jaune pour l'arbre au loin et un mélange plus chaud d'ocre jaune avec un peu de cobalt et de vert émeraude pour le plan moyen.

2. L'artiste a ensuite commencé à peindre le ciel avec du bleu cobalt, de l'ocre jaune et du blanc. Avec les mêmes couleurs et des touches de terre rose et de terre de Sienne brûlée, il a peint les arbres au fond à gauche. En continuant sur la droite, il a tracé les branches de l'arbre au centre avec des touches rapides. L'arrière-plan, à droite, suggère la présence de bâtiments.

Ensuite, l'artiste s'est concentré sur le principal centre d'intérêt: les grands érables sur la droite. Avec des mélanges de terre de Sienne brûlée et de bleu cobalt auxquels il a ajouté du noir ivoire, de l'ocre jaune et du blanc, il a peint les troncs et les grosses branches avec un pinceau moyen et un couteau à peindre. Travaillant de bas en haut pour les branches plus petites, il a peint ensuite avec de petits pinceaux en soie et en poil de martre. Les touches les plus délicates ont été faites avec le bord d'un couteau à peindre.

3. Enfin, l'artiste a terminé le premier plan. La neige, les tiges de maïs et les mottes d'herbe sont tracées avec un minimum de détails afin qu'elles n'aient pas à entrer en concurrence avec les grands arbres. Les parties neigeuses sont toutes peintes avec des mélanges de blanc, de bleu cobalt et des petites touches de terre rose et d'ocre jaune et ensuite, tour à tour, aplaties ou grattées avec le couteau à peindre. À l'aide de touches rapides, l'artiste a en partie assombri quelques couleurs foncées qui restaient de sa composition première. Il a brossé les parties herbeuses avec des touches verticales faites à la brosse sèche en appliquant surtout des mélanges de tons chauds à base de jaune cadmium, d'ocre jaune et de terre rose. L'artiste a donné une unité d'ensemble à son tableau par l'application de rapides touches de couleur à la brosse sèche réparties un peu partout.

Paysage d'hiver (56 × 71 cm)
par Richard Schmid

L'illusion de la distance

L'un des grands problèmes dans la peinture paysagiste est d'obtenir une impression valable d'espace et d'atmosphère tridimensionnelles, ce qu'on appelle la perspective aérienne. Les particules d'eau et de poussière suspendues dans l'atmosphère rendent les clairs et les foncés moins intenses avec le recul et donnent aux couleurs une teinte de plus en plus bleue au fur et à mesure que les éléments s'éloignent de la vision. Par une journée où l'air est transparent sans interférence d'aucune sorte, vous pouvez faire appel à votre mémoire et à votre imagination pour introduire dans votre tableau une plus grande diversité de couleurs et de valeurs qu'on n'en voit dans la réalité.

Dans ce travail d'étudiant à droite, les verts ont pratiquement les mêmes valeurs et tons au fond que sur les arbres du premier plan. Ce tableau est terne. Seule la perspective linéaire, c'est-à-dire le dessin, montre que certains éléments sont plus loin que d'autres. L'eau a été peinte avec un bleu sans intérêt au lieu de refléter le vert des arbres bordant la rive.

Pour créer par la couleur une illusion de distance, essayons d'imaginer des tissus très transparents de gaze bleutée suspendus en l'air tous les huit ou neuf mètres. Plus ils sont loin de l'oeil, plus ils paraissent bleus et, s'il y a suffisamment de rouge dans les arbres, le fond deviendra violet plutôt que bleu.

Quand Foster Caddell a peint le paysage ci-dessous, il a continué de peindre

la légère brume matinale au-dessus de la rivière même après qu'elle se fut dissipée. À remarquer qu'il a défini quatre plans distincts dans son tableau: le premier plan (le bosquet d'arbres à droite), le plan moyen avant (l'arbre à gauche), le plan moyen arrière (les arbres au centre et le bosquet derrière les arbres à droite) et, pour finir, l'arrière-

plan avec la rive opposée de la rivière. Avec chaque plan, il a peint les ombres des arbres de plus en plus claires et bleues, tandis que les parties ensoleillées devenaient de plus en plus foncées et moins jaunes.

La rivière du vieux moulin (24 × 30 cm)

Ombres et lumières

Dans ce travail d'étudiant à droite, la route est placée au centre géométrique de la composition avec des espaces à peu près égaux de chaque côté. Pour essayer de donner l'impression que la route s'éloigne, l'étudiant l'a allongée trop vers le haut. Ses bords ainsi que la ligne d'herbe au centre sont trop nets et trop droits; la forme des ombres, qui est reliée à l'élan de la route, est trop rigide et parallèle à la base du tableau.

Ce tableau fait également étalage d'autres erreurs très répandues. Le ciel est d'un bleu terne et la composition manque de perspective aérienne: les collines et les arbres au loin ont les mêmes couleurs et valeurs que les arbres plus proches. Sur la droite, l'étudiant a trop insisté en voulant prouver que ses arbres sont bien des «troncs» et non pas une abstraction agréable à voir qui se veut être des arbres. Quant au mur de pierre et aux arbres sur la gauche, ce ne sont que des répétitions de forme et de construction.

Une solution plus valable aurait été de placer la route légèrement décentrée comme l'a fait Foster Caddell dans le tableau ci-dessous. En plus, il a donné aux ombres et à la lumière tombant sur la route et sur le feuillage une poussée en diagonale, soumettant la forme de la route à la conception décorative des lumières et des ombres. Dans toute composition paysagiste, il doit toujours y avoir un équilibre des clairs et des foncés mais rendu d'une façon discrète. Dans ce tableau, la route est plus basse

que le champ sur la gauche, ce qui était d'ailleurs la réalité. L'artiste a inséré un personnage marchant sur la route pour donner au spectateur une échelle de comparaison et retenir son attention sur l'élément principal de la composition.

La masse foncée du feuillage en haut surplombe l'arbre clair à droite au lieu de seulement le toucher. L'artiste a peint le ciel plus clair près de la ligne d'horizon et sur la gauche d'où vient la lumière. Les arbres et les collines au loin sont d'un bleu-vert flou qui donne au tableau

une plus grande impression de profondeur. L'artiste s'est également servi d'une gamme plus diversifiée de verts et les bleus et les violets du ciel trouvent leurs reflets dans les ombres de la route. Cette oeuvre est la preuve de l'importance que cet artiste attache à la façon de voir, de sentir et de se servir d'une belle palette dans la peinture paysagiste.

La route de la vallée (61 × 76 cm)

La ligne d'horizon du paysage

Selon Foster Caddell, l'une des règles élémentaires en peinture est de ne pas faire deux tableaux en un seul. Composez donc votre tableau de façon à ce que les plans ne se fassent pas concurrence comme dans ce travail d'étudiant à droite. La ligne d'horizon divise le tableau en deux parties égales et les couleurs de l'arrière-plan sont aussi vives que celles du premier plan. Le bleu de l'eau est sans attrait et ne reflète pas les tonalités du ciel nuageux ou du paysage brillamment coloré.

Ci-dessous, dans cette même scène peinte par Foster Caddell, on peut voir comment le ciel, tout en étant rendu avec intérêt, joue un rôle secondaire dans le paysage. L'horizon a été mis en place plus haut pour éliminer tout conflit entre les deux parties du paysage. L'artiste a donné moins d'importance aux parties plus éloignées en les nimbant de l'ombre des nuages, éliminant ainsi toute lumière qui pourrait être incompatible avec le premier plan. Il a apporté beaucoup de soin au rendu des textures, des formes et des méandres du marécage. L'eau est devenue une zone plus intéressante grâce aux reflets, aux rides du vent et aux plantes qu'il a peints avec beaucoup de détails.

Couleurs d'automne (61 × 76 cm)

Effets de contre-jour

Ce tableau de peintre amateur à droite ne présente aucun intérêt parce que la lumière et la couleur sont rendues sans profondeur. La lumière vient de l'arrière de la vision en tombant à plat sur le paysage et en n'y dessinant aucun jeu de clair-obscur qui permettrait de circonscrire des formes et de créer des zones d'intérêt.

Foster Caddell a métamorphosé ce tableau quelconque en une oeuvre vibrante en la peignant à contre-jour en début de matinée. La luminosité du ciel se reflète sur les nénuphars qui semblent frémir dans les reflets foncés des arbres. Les rayons du soleil dans la brume matinale séparent le plan moyen de l'arrière-plan. L'artiste a modelé d'intéressantes silhouettes d'arbres en masses diversifiées en les rapetissant pour créer une plus grande illusion de distance. À remarquer que, dans ces conditions de luminosité, la lumière touche seulement le haut et le contour des arbres. L'artiste a inscrit au premier plan des plantes et des nénuphars pour briser la masse de l'eau puis il a éliminé des détails plus loin dans le tableau pour faire ressortir une impression de profondeur.

Brume matinale (61 × 76 cm)

LA COULEUR DANS LE PAYSAGE

Il n'est pas facile de réussir à obtenir des couleurs valables dans la peinture paysagiste parce que l'atmosphère et les coloris de la nature semblent constamment varier sous l'influence de la lumière, de l'irisation et des saisons. C'est pourquoi rien ne peut remplacer le travail en direct sur le motif. Ce chapitre vous dévoile quelques secrets pour mieux transposer à l'huile les couleurs de la nature. Vous apprendrez à observer comment la lumière directe affecte le coloris d'un objet, comment la couleur est reflétée par d'autres objets, comment peindre les ombres froides, comment appliquer la couleur avec générosité ou parcimonie, comment rendre une atmosphère avec les couleurs, comment peindre une scène avec un minimum de couleurs et comment capter les nuances passagères du ciel et des nuages.

Couleurs ambiantes et profondeur

Un beau matin, Foster Caddell a constaté qu'un de ses paysages préférés baignait dans une brume s'élevant d'une double cascade située en bas de la maison du gardien. L'humidité de l'air affectait l'intensité et la tonalité des verts et lui donna l'idée de l'interprétation chromatique du tableau de la page ci-contre. En comparant les détails de cette scène à ceux d'un peintre novice traitant le même sujet, on est à même de voir comment utiliser les effets d'irisation pour améliorer le traitement de la couleur et des éléments.

Le détail à droite est trop encombré: la réalité plus que l'esthétique a pris le dessus dans l'esprit du novice; les couleurs et les valeurs sont ternes. Les planches et les pierres sont soigneusement reproduites mais les effets de la lumière sont complètement ignorés. Aucune exploitation de la couleur des plantes au premier plan et le rendu en est grossier.

Le détail en dessous montre comment Foster Caddell a traité la même scène en laissant la lumière et l'air influencer les couleurs. Le bleu qu'on trouve dans les paysages d'été n'est pas le bleu outremer mais le bleu céruléum qui éclaircit les zones ombrées et influence ces parties foncées au fur et à mesure de leur éloignement. Les taches de couleur dans l'arbre et le buisson sont en vert clair permanent, jaune cadmium clair et blanc avec un soupçon de couleur chair çà et là. Dans les pontédéries, au premier plan, on trouve du cramoisi alizarine et du blanc sur les fleurs et du bleu céruléum sur les feuille humides qui reflètent la couleur du ciel. À remarquer comment l'artiste a réussi à donner une valeur plus foncée près des parties claires afin de les faire vibrer.

Le détail au bas de la page 57 est un exemple de ce qui arrive quand un novice est submergé par le feuillage et donc incapable d'en organiser la composition. La monotonie de la couleur et la répétition des formes amènent une absence de profondeur et d'espace. La solution se trouve dans la composition et le dessin autant que dans les couleurs et les valeurs. Même s'il n'existe pas beaucoup de variations possibles dans les verts d'un paysage d'été, le détail du tableau de Foster Caddell montre comment il s'est permis des libertés en appliquant quelques touches de rouge sur les côtés du grand tronc d'arbre. Les verts du plan moyen sont dominés par du bleu outremer venant de la brume montant des cascades qu'on ne voit pas. Un trou de ciel en haut des arbres, peint avec un mélange de couleur chair et de bleu céruléum, ajoute de la profondeur. Du fait que les verts se ressemblent tous beaucoup en été, l'artiste a voulu porter ses efforts sur les différences tonales pour mieux faire ressortir la profondeur de la scène et il s'est attaché à en simplifier le feuillage.

D'une façon générale, le tableau de Foster Caddell transmet un message disant que vous devez saisir la nature essentielle du paysage et non pas reproduire tout ce que vous voyez. En baignant les détails de la rive opposée dans la brume et la bruine, il a simplifié cette partie-là. Ce qui, par ricochet, donne plus d'importance aux endroits où brillent les rayons du soleil: les plantes au premier plan, les buissons, la barque et les arbres de ce côté-ci de la chute d'eau. Il fallait ici qu'il rende les foncés de cette partie suffisamment sombres pour faire ressortir les clairs, mais pas trop foncés cependant car ils se trouvent à mi-distance et sont donc affectés par la bruine de l'eau bouillonnante. Il faut apprendre à analyser les couleurs dans des conditions atmosphériques comme celles-ci. Pour peindre quelque chose d'aussi intangible que la brume matinale, il faut d'abord comprendre ce qui arrive au paysage pour en percevoir tout l'effet visuel de façon à ce que vous soyez capable de peindre la scène même après que ces conditions n'existent plus.

MAUVAIS

BON

Brume près de la maison du gardien (51 × 61 cm) par Foster Caddell

MAUVAIS

BON

Verts ensoleillés de l'été

Lorsqu'il a peint le tableau de la page ci-contre (en haut), Foster Caddell s'est particulièrement attaché à rendre les jeux de lumière dans la composition et à mettre en place les couleurs de la vieille ferme de façon à faire ressortir les verts dominants. On pourra comparer des détails de ce tableau à ceux d'un étudiant qui a traité la même scène, pour voir comment on peut résoudre de façon efficace ces deux problèmes picturaux.

Le détail à droite est un exemple classique de ce qui arrive lorsqu'on s'attarde sur ce qu'il ne faut pas faire dans un tableau. Il a passé tant de temps sur les détails pour identifier le bâtiment qu'il en a oublié toutes les possibilités chromatiques. (Quant à la perspective, elle a été rendue de façon erronée et d'autant plus que la maison est située en haut du champ de vision.) Le jaune des murs n'offre aucune diversité dans les tons et les températures, même dans les parties situées à l'ombre.

Comparons ce détail avec un autre de la maison telle que peinte par Foster Caddell. D'abord, il a peint le côté à l'ombre de la maison avec un bleu-violet froid à base de bleu outremer, de cramoisi alizarine et de blanc. Par-dessus, alors que la peinture était encore humide, il a superposé la couleur générale de la maison: ocre jaune et terre de Sienne naturelle. Dans la partie basse du bâtiment, il a ajouté un peu de vert clair permanent pour montrer le reflet de l'herbe au soleil. Les parties ensoleillées de la maison sont peintes avec du blanc, de l'ocre jaune et un soupçon de rouge cadmium clair. À remarquer la différence de couleur entre le rebord blanc du côté ensoleillé et celui du côté à l'ombre de la maison. Foster Caddell s'est servi avec profit des possibilités chromatiques qu'offrait la maison tout en restant conscient de leurs relations avec le jeu d'ensemble des lumières et des ombres.

Dans le détail en bas de la page ci-contre, on ne voit aucun jeu d'ombres et de lumières, une seule couleur pour le tout. Il en résulte que la scène n'est pas ensoleillée. La couleur a été traitée en aplat très «peinture en bâtiment», selon l'opinion de Foster Caddell. On ne voit aucun signe d'un mélange complexe de couleurs comme il arrive d'en faire sur la toile même. Près de ce détail, on en trouvera un autre du tableau de l'artiste. Là, les verts vont du vert clair permanent au jaune cadmium clair jusqu'à certains tons qui sont dilués dans un blanc. Ici et là, l'artiste a donné quelques coups de pinceau dans des tons plus chauds pour montrer l'herbe brûlée par le soleil. Les plates-bandes de fleurs vont des jaunes chauds aux verts et à la couleur chair. Il a surmonté la tentation de peindre les fleurs une à une et s'est contenté de les suggérer.

Dans son tableau, Foster Caddell a tiré le plus grand parti possible des couleurs de ce paysage ensoleillé. Il s'est intéressé non seulement aux tons chauds mais aussi aux tons froids: voyez comme les ombres froides du toit reflètent le bleu du ciel. Il a également traité les valeurs d'une façon très efficace. La partie où le soleil frappe sur le devant de la maison est de fait plus claire que toute zone du ciel aux alentours. L'effet de brillance du soleil dans un tableau est régi par les relations des valeurs dans les parties claires et foncées et le jeu superbe qu'elles dessinent. L'heure de la journée que vous choisissez est très importante et il faut parfois aider un peu la nature. (Cependant, si vous faites des changements, arrangez-vous pour qu'ils soient plausibles.) Il ne faut pas négliger non plus la quantité de luminosité. Dans un tableau comme dans la vie, plus une chose est rare, plus elle a de la valeur. Le tableau de Foster Caddell comprend en fait plus d'ombres que de lumières mais il a conçu un jeu de valeurs qui dirige l'attention sur les parties claires. À remarquer comment le jeu de lumière commence dans le champ au loin à la droite du gros tronc d'arbre, éclabousse le chemin, escalade le terrain en pente et les fleurs pour enfin s'étendre en couleurs magnifiques sur la vieille ferme.

MAUVAIS

BON

Après-midi d'été (61 × 76 cm)

MAUVAIS

BON

Les couleurs changeantes de l'hiver

De nombreux peintres n'offrent pas dans leurs paysages d'hiver une vision authentique parce qu'ils ne vont pas peindre dehors sur le motif. Foster Caddell croit qu'en observant directement le paysage, on réussit à en saisir les vraies couleurs et l'atmosphère typiquement saisonnière qu'on voit sur le tableau de la page ci-contre.

À droite, ce détail d'un travail d'étudiant ignore la progression indispensable des changements dans les valeurs pour donner l'illusion d'espace et de distance. La couleur est terne parce que la couleur ambiante de base a été faite avec de la terre d'ombre brûlée et du bleu céruléum et ne comprend donc pas cette teinte violette qu'on trouve dans la nature. Le ciel devient bleu d'un seul coup et ne donne pas l'impression de vivre comme aurait dû le faire une transition moins brutale. Les verts des sapins sont trop clairs et trop jaunes.

Sur le détail du tableau de Foster Caddell, en bas, vous remarquerez que, même si la couleur de la neige est très foncée au premier plan, elle est encore plus claire que les branches de l'arbre au premier plan. L'artiste a peint la neige avec du bleu outremer et du cramoisi alizarine et a appliqué un frottis de terre de Sienne brûlée pour donner un ton chaud aux branches et aux feuilles mortes des arbres. Il a ainsi traité chaque plan vertical de plus en plus clair et de plus en plus bleu jusqu'à ce qu'il arrive aux collines dans le fond, en haut à droite qu'il a peintes en bleu clair. Il l'a fait en se servant d'un bleu plus froid, l'outremer, en contraste avec le bleu céruléum du ciel.

Le détail de ce travail d'amateur, page 61, révèle un défaut courant qu'on retrouve dans la peinture de paysage d'hiver: une uniformité générale de couleur et de valeur qui engendre une monotonie visuelle. On ne sent pas la lumière éclairant certaines parties de la scène ni l'ombre des nuages se reflétant sur d'autres; on ne voit aucune progression dans les valeurs pour créer une illusion de distance; quant aux parties enneigées, elles se ressemblent trop.

Le détail du tableau de Foster Caddell montre comment il a défini les plans spatiaux non seulement avec couleurs et valeurs, mais aussi avec le jeu du soleil sur certaines parties. Ces effets sont d'une nature changeante dans la réalité et exigent beaucoup de jugement pour en tirer le meilleur parti dans votre tableau. Les zones enneigées et dégagées à l'ombre sont peintes bleuâtres et, là où le soleil touche les arbres, l'artiste l'a bien rendu avec des couleurs chaudes comme le jaune de Naples, le rouge cadmium clair et le cramoisi alizarine. Dans ce tableau, la couleur ambiante de l'hiver est un violet sourd déterminé par la teinte rougeâtre des branches dénudées et des feuilles mortes encore attachées aux chênes, vue au travers même de l'air dont la couleur première est le bleu. Mélangé à cette impression visuelle, il y a également le bleu-vert subtil des sapins qui complète admirablement les couleurs chaudes. À remarquer comme les teintes du paysage trouvent leur écho dans le ciel, donnant ainsi au tableau une unité chromatique d'ensemble.

Lorsqu'il a peint cette scène, Foster Caddell l'a fait par un temps changeant constamment: le soleil perçait de temps à autre les nuages pour éclairer successivement différentes parties du paysage à des heures différentes. Il dut décider comment tirer parti de cet effet dans son tableau et où faire jouer les jeux de lumière. La plupart du temps, cette lumière éclairait le flanc de la colline près de la ferme mais aussi le champ au premier plan. Il a finalement décidé de garder le premier plan dans l'ombre afin d'ajouter une note dramatique, et de donner plus d'importance à la lumière juste derrière les bâtiments de la ferme. Pour faire contrepoint, il choisit de faire descendre les rayons du soleil dans la vallée à la droite du plan moyen.

MAUVAIS

BON

Le manteau de l'hiver (61 × 76 cm), par Foster Caddell

MAUVAIS

BON

L'impressionnisme des couleurs

Foster Caddell a peint ce paysage rural de la Nouvelle-Angleterre au moment où le soleil matinal dissipait la brume de la vallée. Il voulait reproduire les couleurs lumineuses du ciel mais se rendit compte qu'il devait les traiter de façon à ce que le tableau ne soit pas surchargé. Il donna de l'unité à l'ensemble en reportant les couleurs chaudes des plantes et des herbes jusque dans la partie nuageuse. Les détails du tableau d'un étudiant montrent comment bien des paysagistes novices ignorent les possibilités chromatiques des zones ouvertes du ciel et de la verdure.

Comme on le voit sur le détail à droite, la manière la plus simple et la plus évidente de peindre un ciel d'été est de le faire bleu partout. La plupart des peintres novices brossent d'abord le ciel mais il est pratiquement impossible d'obtenir les couleurs et les valeurs convenables tant qu'on ne peut pas les relier à quelque chose d'autre sur la toile. Ce ciel est trop foncé et, non seulement la couleur est sans vie, mais son bleu fait fausse note: l'amateur s'est servi du bleu outremer au lieu du bleu céruléum et il n'a pas vu les changements rapides de la luminosité qui surviennent lorsque le soleil dissipe la brume matinale.

Si vous observez le ciel avec soin, vous découvrirez qu'il est très coloré, pas seulement bleu, et que ses couleurs changent avec le temps et l'heure. Le problème, quand on veut peindre un ciel en général et celui du matin ou de la fin d'après-midi en particulier, est qu'il est très changeant. L'artiste doit donc faire appel à sa mémoire et à ses connaissances pour y arriver.

Il n'est pas facile de saisir l'atmosphère de la brume matinale. Il faut être sensible à tous ses effets transitoires et étranges et être capable de rendre ce que vous voyez et sentez même après qu'elle se soit dissipée. Souvenez-vous de ceci lorsque vous peignez une brume matinale: la lumière du soleil est d'une couleur chaude, le ciel est toujours plus clair que lorsque vous regardez dans la direction opposée.

Quand Foster Caddell commença à peindre le ciel dans le détail ci-dessous, il avait déjà inscrit les valeurs et les couleurs des autres éléments du paysage en rapport avec le ciel. Il a peint la chaude tonalité du ciel avec du jaune de Naples, du rouge cadmium clair, un soupçon de cramoisi alizarine et du blanc. Puis il a ajouté du bleu céruléum en commençant par le haut de la toile et a rajouté par-dessus certaines parties du cramoisi alizarine pâle; il a ensuite appliqué des touches de couleur jusqu'à ce qu'il obtienne un effet agréable à l'oeil.

La surface unie du champ vert au bas de la page ci-contre montre que le novice a eu du mal à interpréter d'une façon intéressante cette partie de la scène. Les valeurs comme les couleurs sont faussées et, au lieu de s'éloigner, le champ ressemble à un mur uni. On a peint ici un gazon fraîchement tondu et sans détails ni variantes de couleur pour orienter la vue. Comment aurait-on pu résoudre ce problème?

Le détail du tableau de Foster Caddell offre une très bonne solution: il a «emprunté» des touffes de fleurs et de plantes d'un champ voisin pour rendre cette partie plus vivante et plus intéressante de façon à la relier à la ferme sur la colline. Les verts plus foncés, mélange d'émeraude et de terre d'ombre brûlée, indiquent la présence des touffes et des mamelons. Là où l'herbe devient plus claire vers le haut de la colline, l'artiste a ajouté de la couleur chair pour réchauffer le vert et neutraliser la tonalité. Les fleurs pleines de couleurs sont peintes surtout avec du cramoisi alizarine et un soupçon de bleu céruléum à certains endroits. Ici et là, il a ajouté des touches de terre rouge et de jaune pour suggérer des tiges plus hautes d'herbe morte. Dans la verdure plus en avant, il a donné des coups de pinceau en hauteur pour ajouter plus de détail et de profondeur.

Que vous peigniez un ciel lumineux ou toute autre scène, Foster Caddell conseille de bien évaluer les valeurs de chaque partie du tableau. Il affirme que la décision à prendre concernant la couleur doit porter sur la quantité à appliquer sans pour autant que votre tableau soit criard ou surchargé.

MAUVAIS

BON

Soleil du matin en été (51 × 61 cm), par Foster Caddell

MAUVAIS

BON

Contre-jour et reflets

Lorsqu'il a peint le tableau de la page ci-contre, Foster Caddell a traité deux problèmes de couleurs qui présentent souvent de grandes difficultés aux étudiants: peindre les reflets de la lumière et imprégner le ciel brillamment éclairé d'une tonalité lumineuse.

Le détail à droite montre que l'étudiant a concentré son attention sur des objets plutôt que sur le jeu des lumières. Il s'est trop préoccupé de montrer que le bâtiment a une porte et une fenêtre blanches et n'a pas essayé de rendre la lumière tombant globalement sur cette scène. Les couleurs sont quelconques et terre-à-terre et il n'y a pas assez de contrastes saisissants. On ne sent pas non plus ici que l'étudiant se soit intéressé à faire son mélange de pigments.

La lumière réfléchie est une lumière colorée qui rebondit d'un objet touché directement par les rayons solaires pour ensuite être déviée sur un autre objet proche. Plus la luminosité est forte et plus la surface de l'objet est brillante, plus la couleur de l'objet frappé par la lumière est éclatante et plus il y a de couleur et de luminosité réfléchies sur les objets environnants. Le détail du tableau de Foster Caddell fait presque sentir au spectateur les rayons solaires tombant sur la partie sableuse et réfléchie sur la partie à l'ombre du bâtiment, lui donnant une belle tonalité chaude. À remarquer comment cette zone colorée attire plus l'attention que la partie illuminée du moulin. Les ombres sont généralement froides mais ici la couleur est chaude. L'important est de trouver la valeur exacte des tons. Voyez comment une simple application de blanc suffit à indiquer la porte et à en situer l'emplacement sur le devant du bâtiment.

Quand on peint des reflets, il faut se rappeler qu'ils ne sont jamais aussi brillants que la lumière proprement dite; cependant, ils doivent être plus lumineux que la valeur d'ensemble des ombres et doivent subir l'influence de la couleur de la surface sur laquelle ils sont réfléchis.

Il n'est pas facile de peindre un contre-jour mais, quand on le fait bien, cela donne au tableau une impression de rayonnement et de luminosité. Le problème quand on peint des ciels (y compris ceux à contre-jour) est de surmonter l'influence des idées préconçues. Comme le montre le travail d'étudiant en page 65, on peint généralement le ciel trop bleu et avec peu, si même il y en a, d'impressions chromatiques. En outre, il est difficile pour des novices de peindre un ciel à contre-jour qui soit aussi brillant que celui-là. Voyant la maison de l'arrière-plan tout en blanc, l'étudiant ne se rend pas compte qu'elle est en réalité plus foncée que le ciel et devrait être peinte dans ce sens. Le ciel est en général plus clair lorsque vous regardez en direction du soleil plutôt qu'à l'opposé. Sans compter qu'un ciel tend à «combler» sa tonalité, c'est-à-dire qu'on devrait le peindre plus clair près de la ligne d'horizon et en foncer le traitement chromatique au fur et à mesure qu'il s'élève en l'air.

Une autre manière d'obtenir un effet lumineux, c'est par contraste. En plaçant à des points stratégiques des zones foncées contre le ciel, comme Foster Caddell l'a fait dans son tableau avec un gros tronc d'arbre, vous pouvez créer un effet de ciel très brillant et lumineux. L'artiste a peint d'abord le ciel avec un chaud jaune de Naples et, alors que la couleur était encore humide, y a ajouté du bleu céruléum, du cramoisi alizarine et du rouge cadmium clair. (Évidemment, il a mélangé du blanc avec toutes ces couleurs claires.) La maison blanche, qui était dans l'ombre, se profile contre le ciel en donnant à ce dernier plus de luminosité.

MAUVAIS

BON

Le moulin à blé (61 × 76 cm), par Foster Caddell

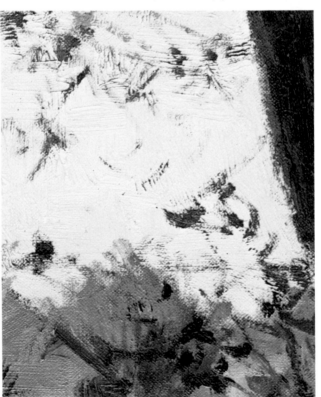

MAUVAIS

BON

L'exploitation de la couleur

En peignant cette scène d'hiver, Foster Caddell a consacré presque tout son tableau aux effets de ciel et a traité le premier plan dans l'ombre d'un nuage pour en renforcer l'image. Bien que la nature puisse paraître morne en cette saison, on voit dans les illustrations ci-contre comment la couleur surgit et est exploitée d'une façon vivante.

Quand on peint sur le motif, il faut être habitué à *voir* le paysage. Cela n'est pas aussi simple qu'il y paraît. Tout le monde sait que le ciel est bleu et que les nuages sont blancs mais est-ce bien vrai? Souvent, les étudiants peindront avec cette idée préconçue. Le détail à droite montre une absence complète de compréhension des formes et des couleurs des nuages ainsi qu'un manque d'audace de la part du novice. Les ombres des nuages, peintes seulement avec du gris de Payne et du blanc, ne sont pas assez foncées. Les bords en sont trop nets. D'une manière générale, ce ciel manque d'intensité, de profondeur et de couleurs intéressantes.

Bien des gens peignent le ciel comme s'il s'agissait d'un rideau uni suspendu sur un fond de scène. Il faut apprendre à le peindre de façon à ce qu'il donne une impression de recul comme pour un paysage. Mettez-y autant de couleur que vous l'osez dans les limites des possibilités que vous donne le moment de la journée que vous décrivez.

Pour réussir à peindre un ciel, vous devez d'abord l'étudier. Allez vous promener dehors et faites des esquisses en couleur des diverses formations nuageuses. De cette manière, vous en arriverez à saisir leurs formes, leurs couleurs et leurs agencements de sorte que vous pourrez y revenir lorsque vous essaierez d'en traiter un effet passager.

Le tableau de Foster Caddell, comme on le voit dans le détail en bas, offre une diversité de couleurs et de valeurs des ombres des nuages. Le contraste que présentent les bords lumineux dirige l'attention du spectateur vers le ciel. Dans les parties ombreuses, l'artiste s'est servi de bleu céruléum qu'il a violacé un petit peu en y ajoutant du cramoisi alizarine et en le modifiant ensuite avec un gris teinté de rouge cadmium clair et de jaune de Naples. L'intention en était de jouer avec toutes les variations de couleurs possibles sans les perdre par un mélange trop poussé.

La partie avec des plantes dans le détail illustré au bas de la page ci-contre, illustre d'autres éléments de paysage dans lesquels l'étudiant ignore souvent les possibilités qu'offrent les couleurs. Ces plantes sont peintes seulement avec de la terre d'ombre brûlée et rendues avec de nombreux coups de pinceau. Bien que l'élève ait essayé de les traiter comme des plantes, on dirait plutôt des piquets de clôture tant le traitement est malhabile. Et comme on pense généralement que l'eau doit être bleue, on s'est servi ici d'un bleu trop intense pour rendre l'eau libre de glace. Les parties neigeuses sont ici peintes seulement avec du bleu et du blanc.

L'interprétation de Foster Caddell sur le même sujet démontre une observation aiguë des variations chromatiques dans chaque élément du paysage. Les plantes sont rendues avec du cramoisi alizarine et du bleu outremer ainsi qu'avec un mélange de terre de Sienne naturelle et d'ocre jaune, permettant d'exploiter toute une gamme de couleurs. De cette manière, l'artiste a obtenu une plus grande impression de texture et de détail avec, en fait, beaucoup moins de traitement linéaire. L'introduction de terre de Sienne naturelle donne l'impression qu'il y a des couches de glace sous la neige.

En tant qu'artiste, votre vision doit sortir de l'ordinaire. Vous devez apprendre à voir la poésie des choses, en extraire toutes les variations chromatiques. L'étude des contrastes est une partie très importante de l'art de peindre, ce que Foster Caddell appelle la «relativité». Par suite de la rareté des couleurs fortes en cette période de l'année, le peu de coloris qu'on trouve à ce moment-là dans le paysage devient primordial.

MAUVAIS

BON

Paysage en décembre (61 × 76 cm), par Foster Caddell

MAUVAIS

BON

L'emploi de couleurs audacieuses

À l'automne, il y a tant de couleurs vives dans le paysage que bon nombre de peintres en perdent la tête ou n'osent pas s'en servir. Mais l'harmonie règne dans la nature, même dans ses extrêmes; avec de la pratique, vous pouvez apprendre à bien rendre dans un tableau les couleurs fortes. En outre, vous pouvez utiliser les effets de la lumière pour rehausser et donner de l'unité à votre scène.

Dans le détail à droite, les couleurs qui devraient être fortes et brillantes sont trop ternes. Et même si la lumière avait brillé de cette manière sur la zone derrière le feuillage, le tableau aurait été bien meilleur si l'étudiant avait attendu que le jeu de lumière change pour lui offrir un arrière-plan plus intéressant. Les parties plus claires auraient dû être renforcées par un contraste bien net.

Sous cette étude, on peut voir un détail du tableau reproduit sur la page ci-contre. Foster Caddell a d'abord peint l'arrière-plan avec du bleu outremer additionné d'une touche de terre d'ombre brûlée et de terre de Sienne naturelle. Puis, il y a introduit du vert clair permanent pour donner l'impression que le feuillage est dans l'ombre. Le feuillage brillant est peint avec du jaune cadmium clair et du blanc, avec des touches de vert clair permanent à certains endroits et de jaune cadmium foncé à d'autres. La présence de la lumière chaude sur le sol crée un superbe passage au beau milieu des jaune-vert.

À remarquer la hardiesse des troncs d'arbres peints avec une combinaison de couleur chair et de bleu céruléum.

Pour obtenir un rendu intéressant, il faut traiter avec sensibilité les rayons du soleil. Dans le détail illustré au bas de la page ci-contre, les rayons sont peints sans finesse avec des angles illogiques et ils sont d'une valeur bien trop claire pour véhiculer l'effet recherché. Le détail de cette même partie, tel qu'on le voit dans le tableau de Foster Caddell, dégage une impression d'atmosphère ambiante et de lumière. Pour obtenir un meilleur résultat, il a peint l'effet des rayons de soleil sur l'arrière-plan après séchage de la couleur, en leur faisant traverser une zone ombreuse. Il s'est servi d'un bleu outremer et de blanc avec addition d'un soupçon de couleur chair pour rendre la pâte plus grisâtre. À remarquer comment il a varié la longueur des rayons et comment il les a espacés pour éviter la monotonie. Rappelez-vous que l'angle sous lequel tombent les rayons doit être compatible avec l'emplacement de la source lumineuse, le soleil, et qu'ils ne doivent pas être placés en entonnoir. On peut peindre les rayons du soleil sur la pâte encore humide ou l'ajouter après séchage de l'arrière-plan pour obtenir un effet de «brosse sèche» comme l'a fait Foster Caddell dans son tableau. Le secret pour réussir ces effets est de les rendre naturels et discrets.

En peinture, il y a des moments où l'on murmure et d'autres où l'on crie et vous devez pouvoir rendre ces deux extrêmes. N'avancez pas le long d'un chemin médian monotone en utilisant avec timidité couleurs et valeurs parce que vous avez tout simplement peur de faire une grossière erreur. Ne sous-estimez pas la luminosité et l'élan qu'un passage peut exiger dans votre tableau pour qu'on le voit bien à distance. La couleur peut être employée pure et dans toute son intensité, directement du tube. Foster Caddell a traité ainsi une partie de son tableau pour attirer tout de suite le regard des gens, en l'occurrence sur le buisson et les arbres, et a forcé la note autant qu'il le pouvait. Inutile d'ajouter que les couleurs contrastantes et l'arrière-plan adjacent et leur valeur plus foncée y ajoutent de l'importance car, dans un tel cas, on obtient un effet de contraste en assourdissant les zones voisines des parties lumineuses. Si elles ne sont pas assez foncées, il faut alors diminuer l'éclat que le centre d'intérêt peut présenter. Ce principe du contraste a une grande importance dans la peinture paysagiste.

MAUVAIS

BON

Ruisseau en forêt (61 × 76 cm), par Foster Caddell

MAUVAIS

BON

L'ambiance par la couleur

Foster Caddell a voulu que le spectateur soit capable de ressentir l'ambiance froide et calme de ce matin d'hiver qu'il a décrite dans son tableau de la page ci-contre. Il y est parvenu avec la couleur même si la scène était par elle-même limitée dans ce domaine.

Dans le détail à droite, l'étudiant n'a pas réussi à transmettre cette sensation de froid et de gel. Les couleurs penchent plus vers les gris ombrés que vers les bleus doux et froids; les collines au loin n'ont pas cette délicatesse des couleurs et des valeurs qui leur donneraient du recul. Étant donné que cette étude est plus centrée sur la réalité et la géométrie, elle représente bien un endroit donné mais ne transmet pas l'ambiance de ce temps froid.

Ce détail du tableau de Foster Caddell, en bas, portant sur le même sujet, est avant tout une étude de bleus froids avec prédominance du bleu outremer. À remarquer que l'artiste a appliqué des touches de cramoisi alizarine alors que la première couche de couleur était encore humide. Les coloris chauds du ciel sont peints avec délicatesse. Il a commencé avec du jaune de Naples, du rouge cadmium clair et du blanc, puis a progressé vers le haut avec du vert émeraude et du bleu céruléum et, enfin, au sommet du tableau, avec du bleu outremer. Voyez comment il a ajouté une délicate teinte chaude dans le champ au premier plan avec une touche de rouge cadmium clair et de jaune de Naples. Mais il faut que ce soit subtil pour être efficace. Dans ces conditions d'éclairage, la vieille grange grise devient un bel assemblage de bleus.

Le détail au bas de la page ci-contre manque de diversité dans la couleur. Le ciel est d'un bleu uni, les arbres sont d'un brun ombré et le gris domine partout dans les collines. Ces dernières n'ont aucune forme et auraient pu être renforcées par des taches lumineuses à certains endroits. L'étudiant a perdu son temps à montrer qu'il y avait un mur de pierre au premier plan et n'a pas réussi à explorer les nuances de tons et les effets de transparence qui *auraient* dû être le thème central du tableau.

Le détail du tableau de Foster Caddell montre comment il a détaché les arbres proches des collines au loin en les peignant d'abord d'un bleu plus foncé et en ajoutant par-dessus des tons plus chauds de cramoisi alizarine et de terre de Sienne naturelle tout en donnant à la couleur de base des collines une tonalité bleu clair. Dans la zone des arbres sur les collines face au soleil, il a introduit avec subtilité des rouges et des jaunes doux pour suggérer la présence des rayons du soleil. Cependant, la lumière sur les chênes au *premier plan* lui a servi de prétexte pour utiliser des coloris beaucoup plus chauds — cramoisi alizarine et terre de Sienne naturelle — pour les feuilles parce qu'elles sont plus proches. À remarquer la teinte de vert clair permanent dans le bosquet le plus proche. Elle suggère la présence d'arbres à feuilles persistantes, présente une autre variation subtile de couleur et a agi comme complément aux tons rougeâtres voisins.

Même si les couleurs de son tableau sont à dominante bleue parce que la froideur de cette couleur suggère le froid de l'hiver, Foster Caddell a trouvé de riches variations chromatiques, y compris des tons chauds, en observant attentivement la scène tout en la peignant. Les arbres sur les collines au loin reflètent une certaine chaleur dans les zones recevant un peu de lumière du soleil levant. À remarquer que même les parties neigeuses ne sont pas blanches. La zone des arbres au pied des collines est composée de chênes et, comme la plupart des feuilles de chêne restent accrochées tout l'hiver jusqu'à l'éclosion des jeunes pousses, elles permettent l'emploi de quelques couleurs chaudes. À côté, des arbres à feuilles persistantes offrent une variation de couleurs qui font complément aux feuilles des chênes. À remarquer qu'à cause de la distance, aucun foncé n'est vraiment foncé. Le champ recouvert de neige présente de subtiles variations de couleurs avec des rouges et des jaunes chauds dans les parties claires et des rouges froids dans les parties ombrés. L'artiste a réussi à obtenir un délicat équilibre des couleurs chaudes et froides sur l'ensemble de son tableau.

MAUVAIS

BON

Froid matinal (41 × 51 cm), par Foster Caddell

MAUVAIS

BON

Variation et unification des couleurs

Foster Caddell connaît très bien ce champ qui, à la fin de l'été juste avant que le feuillage ne revête ses couleurs d'automne, se transforme en ce que l'artiste appelle un «tapis magique de la nature». Les couleurs de la nature sont toujours harmonieuses et les asters sauvages au premier plan qui se mêlent aux verges d'or et aux eupatoires maculées du plan moyen font que cette scène est très intéressante à peindre.

Sur le détail à droite, on s'est servi d'un mauvais bleu, l'outremer, au lieu du bleu céruléum plus chaud pour peindre le ciel, ce qui lui a donné un ton rougeâtre. Les nuages, peints avec un mélange divers de gris de Payne et de blanc, sont sans imagination chromatique et ressemblent à du plâtre de Paris. Les formes sont trop contrastées et le tableau manque de cette douceur légère qu'on aurait pu obtenir en peignant sur une pâte étalée encore humide.

Un détail du tableau de Foster Caddell montre comment il a traité la zone du ciel. Il en a d'abord circonscrit le dessin de base puis il a commencé à peindre les ombres nuageuses avec du bleu céruléum et une touche de cramoisi alizarine et de blanc. Ensuite, il a peint les parties bleues du ciel avec du bleu céruléum et c'est seulement après qu'il a entrepris de travailler les passages clairs des nuages. Étant donné que c'était la fin de l'après-midi et qu'il voulait transposer cette heure-là dans son tableau, il y a introduit un peu de chaud avec du jaune Naples et du rouge cadmium clair. Avec ces couleurs de base, il a pu laisser les formes errer çà et là, pâte humide sur pâte humide, jusqu'à ce qu'il ait créé un agencement de nuages et un ciel qui le satisfassent.

Comme le montre le détail de l'étude de la page ci-contre, beaucoup de gens peignent en blanc les fleurs pâles sans variations chromatiques. L'étudiant ne s'est pas rendu compte que le premier plan était dans l'ombre des nuages ni que sa tonalité pouvait être influencée par le ton froid du ciel au-dessus. Les novices ont également tendance à vouloir peindre une à une des fleurs groupées par centaines plutôt que de les lier en masses intéressantes. À remarquer aussi que les fleurs du premier plan sont presque de la même grandeur que celles de l'arrière-plan, annulant toute impression de distance.

Le détail du tableau de Foster Caddell montre comment il a traité le même problème. Il a peint l'herbe avec du vert clair permanent additionné de touches de couleurs de terre appliquées par-dessus alors que la première pâte est encore humide. L'artiste s'est servi d'une terre d'ombre brûlée plus foncée pour les tiges des fleurs et de la terre de Sienne naturelle et de la terre de Sienne brûlée pour suggérer des brins d'herbe séchés au milieu de la verdure éclatante.

Pour les fleurs, il s'est servi d'un mélange de bleu céruléum et de cramoisi alizarine pour les tons froids et d'une couleur claire là où il fallait une sensation de chaud. Le défi était ici de créer une impression de luminosité sans qu'elle soit aussi claire qu'au plan moyen où le soleil brillait. À remarquer qu'au premier plan, on croirait pouvoir distinguer les fleurs une par une.

Dans tous les tableaux et particulièrement dans celui-ci, la décision importante à prendre concerne le moment de la journée qu'on veut décrire ainsi que le choix du jeu primordial de la lumière avec ce qu'on a sous la main. Le ciel doit remplir un but bien précis dans un paysage. Lorsqu'une partie importante de la toile est consacrée au ciel, il faut y déployer un jeu de formes intéressant sans que le paysage lui-même n'en soit écrasé. En outre, les couleurs dont vous vous servez doivent être complémentaires et s'harmoniser au paysage. Pour indiquer le moment de la journée qu'il avait choisi, Foster Caddell a dessiné le ciel de façon à ce que la plupart des parties claires se trouvent sur le côté d'où vient la lumière du soleil. Il a également fait en sorte que la masse dominante des nuages soit complémentaire de l'angle des collines. Avec le premier plan dans l'ombre, il savait que la couleur dominante des fleurs serait froide sous la luminosité du ciel au-dessus.

MAUVAIS

BON

Fin de l'été, fin d'après-midi (61 × 76 cm), par Foster Caddell

MAUVAIS

BON

Tons chauds et ombres froides

Chaque scène a une harmonie chromatique distincte que l'artiste doit «sentir». En peignant ce tableau, Foster Caddell s'est intéressé au jeu des couleurs de l'automne sur les vieilles maisons à planches en déclin blanches. Il a traité le ciel de façon à devenir le complément presque direct de la lumière dans les feuilles, en ajoutant plus de brillance encore dans les arbres vibrants. Il a également limité la quantité de lumière et l'a fait contraster avec des ombres froides pour en rehausser l'éclat.

Le détail illustré à droite manque de vie parce que les feuilles sur le côté ombreux sont d'une valeur trop claire, l'arbre apparaît uni et terne et la lumière qui passe à travers le feuillage de l'autre côté a perdu toute sa force. La timide tentative de peindre la maison qui se trouve dans l'ombre derrière n'a pas permis d'exploiter le contraste tonal qui rend les feuilles devant elle encore plus brillantes.

Comparez ce travail d'étudiant avec le détail en dessous. À remarquer que, sur le côté ombreux de l'arbre, qui est maintenant assez distinct, on a peint des jaunes et des oranges chauds sur le fond vert pour montrer que les feuilles commencent à changer de couleur. Le côté à l'ombre de la maison derrière est peint dans un bleu plus profond avec des touches de cramoisi alizarine peintes par-dessus pour montrer la réflexion de la couleur du ciel violacé.

L'artiste a appliqué dans l'arbre des touches de couleur particulièrement vives en se servant de jaune cadmium clair et de jaune cadmium foncé sortis tout droit du tube pour compléter l'effet d'un contre-jour éclatant.

Rendre le contre-jour semble particulièrement difficile en automne parce que la profusion des couleurs ne permet pas facilement d'évaluer les valeurs d'une façon exacte. Le moment critique est celui de la décision à prendre quant aux parties ombreuses du feuillage. Si on les peint trop clair, cela limite l'effet de la lumière dans les parties éclairées; si on les peint trop foncé, il en résulte un rendu terne et lourd au lieu d'une luminosité vive.

Au bas de la page ci-contre, l'étudiant n'a pas tenu compte de la façon dont la lumière tombe sur les objets et qui affecte leurs couleurs; il a tout simplement ignoré les multiples couleurs présentes dans les ombres. À la place, il a peint les couleurs des objets eux-mêmes. Le côté ombreux de la maison blanche est peint avec un gris ordinaire et uni bien trop clair. Il a porté trop d'attention aux détails des fenêtres et pas assez à la tonalité d'ensemble de la couleur. L'ombre en travers du chemin est peinte d'une couleur «sale», terre de Sienne naturelle, et ne reflète pas les couleurs froides qu'on devrait y trouver. Le ciel est d'un bleu terne.

Le détail du tableau de Foster Caddell montre comment il a exploité les couleurs des ombres froides. Il a d'abord peint ces ombres trop bleues pour mieux travailler les autres couleurs par-dessus la pâte encore humide afin d'obtenir l'équilibre désiré. À remarquer comment le vert de l'herbe, avec un soupçon de cramoisi alizarine comme dans le ciel, est reflété sur le côté ombreux de la maison. L'artiste a traité de la même façon les ombres du chemin, les peignant d'abord avec des bleus et des violets pour ensuite y ajouter des tons chauds de terre sans attendre le séchage. La maison blanche est peinte plus foncée et plus froide que l'herbe ensoleillée devant, comme on la voit réellement.

En choisissant les couleurs d'un objet à peindre, demandez-vous d'abord: «La lumière tombe-t-elle directement dessus?» La réponse à cette question vous aidera dans votre traitement de la couleur. Rappelez-vous qu'il y a deux sources de lumière dans la nature. La principale, celle du soleil, est d'un ton normalement chaud alors que la seconde source est une lumière froide subtile filtrant à travers le ciel et éclairant les parties ombreuses. Vous aurez fait un grand pas en avant dans le rendu du paysage lorsque vous aurez compris que la présence ou l'absence de lumière directe sur un objet est aussi importante que sa couleur même.

MAUVAIS

BON

Chemin dans l'ombre (61 × 76 cm), par Foster Caddell

MAUVAIS

BON

PEINDRE
LA MER

La mer est constamment en mouvement. Aux yeux de l'artiste, elle ne reste jamais tranquille, même pas pour une seconde. Les couleurs et l'ambiance sont également influencées par la présence de rochers et de pointes de terre, par le temps qu'il fait, par la lumière et l'ombre. Ce chapitre porte sur la manière de peindre des marines dans diverses situations: par une journée ensoleillée, dans la lumière du petit matin, couverte de brume, baignée dans la lumière du soleil à l'horizon, par un beau clair de lune. Vous apprendrez à mieux peindre des marines à l'huile en observant la manière dont se comportent les vagues et comment elles sont affectées par les autres éléments de la nature.

La vague qui déferle

1. Les illustrations de cette page montrent comment E. John Robinson peint une vague déferlante. Avec un jus léger de bleu outremer, il a commencé par tracer le dessin de e la forme d'une vague et en a situé la partie écumeuse. Avec du vert émeraude non dilué, il a brossé la vague en ne touchant pas aux parties écumeuses ni à la transparence.

2. Ensuite, il a appliqué du jaune cadmium non dilué sur la partie transparente et en a ajouté un peu dans les parties en vert en mélangeant au fur et à mesure ces deux couleurs. Il s'est bien assuré qu'il n'y ait pas de ligne de démarcation entre le jaune et le vert.

3. Il a ajouté une impression de profondeur à la base de la vague avec du bleu outremer mélangé à un peu de terre de Sienne brûlée. Il a fait bien attention de ne pas en mettre dans la partie transparente. Il a ensuite ajouté un soupçon de jaune clair à du blanc et a appliqué ce mélange dans le haut de l'écume. Avec le même mélange, il a ajouté quelques détails d'écume le long du rouleau. Avec un mélange de bleu et de blanc, il a peint la partie ombreuse de l'écume. Il s'est également servi de ce dernier mélange pour le devant de la vague où la surface unie de l'eau reflète le bleuté de l'air.

4. Pour finir, l'artiste a ajouté des touches claires et de la texture avec un mélange jaune-blanc pour les parties éclairées et le mélange bleuté de l'étape n° 3 pour les zones foncées.

L'air et le soleil

1. John E. Robinson a fait cette étude à l'huile pour montrer comment traiter la couleur du milieu, les effets atmosphériques, la lumière solaire et les ombres dans une marine. Avec une combinaison de bleu pâle pour le ciel, de blanc pour l'écume, de vert émeraude pour l'eau et un mélange d'une partie de terre de Sienne brûlée et d'une partie de bleu outremer pour les rochers, il a circonscrit la couleur de chaque élément de son étude. À cette étape-là, il ne s'est pas préoccupé des détails qui seront ajoutés ensuite.

2. Pour rendre les effets de transparence, l'artiste a préparé un bleu très pâle avec du bleu outremer et du blanc qu'il a appliqué légèrement sur toute la toile, en insistant plus sur les parties faisant face au ciel: la surface plate de l'eau et le sommet des rochers. Avec un mélange de jaune pâle et de blanc pour la lumière du soleil, il a fortement souligné les parties qui la reçoivent directement, en particulier l'écume; cependant, le soleil frappe aussi les rochers par endroits ainsi que le panache de l'écume.

3. Finalement, l'artiste a traité les ombres dans l'écume avec un mélange de cramoisi alizarine et de bleu outremer en y ajoutant beaucoup de blanc. Pour les ombres au bas des rochers et dans l'eau, il s'est servi du même mélange mais en y ajoutant moins de blanc pour le rendre plus dense.

Côte et mer ensoleillées

1. George Cherepov a commencé par dessiner avec soin les formes rocheuses avec des traits au pinceau pour mieux saisir le volume. Les formes nuageuses sont dessinées de la même manière et laissées dégarnies. L'artiste a couvert le ciel entre les nuages avec de petites touches de bleu cobalt mélangé à du blanc. Le bleu cobalt convient mieux à un ciel ensoleillé parce qu'il est plus délicat que l'outremer ou le bleu phtalo. Mais vous voudrez peut-être faire vos propres essais avec ces bleus. (Il y a aussi le bleu céruléum.)

Voyez comment les coups de pinceau deviennent plus petits, plus pâles et moins denses en se rapprochant de l'horizon. Étant donné que le ciel devient plus chaud et plus pâle à l'horizon, l'artiste a introduit des touches d'ocre jaune (avec pas mal de blanc) parmi les touches de bleu. Les touches de jaune sont plus denses à la ligne d'horizon. À cette étape, il a également commencé à cerner les plans ombreux des rochers avec des mélanges bleu-brun.

2. Ensuite, il a appliqué des touches de rose (cramoisi alizarine et beaucoup de blanc) parmi les touches de bleu et de jaune dans le ciel. Maintenant, le ciel est presque entièrement recouvert de couleurs encore humides, sauf dans les nuages qui restent dégarnis. Dans un paysage côtier, la couleur de l'eau est toujours reliée à celle du ciel et c'est pourquoi l'artiste a circonscrit les coloris de la mer avec des bleus plus denses; pour le faire, on peut remplacer le bleu cobalt par de l'outremer qui donne souvent l'impression d'être une version plus foncée de la même couleur. Il a ajouté aussi un soupçon de ces mêmes mélanges de rose et de jaune qu'on trouve dans le ciel. A remarquer comme la couleur de la mer devient plus chaude au premier plan là où l'on devine le fond sableux.

3. (page ci-contre, en haut) Avec de petits coups de pinceau, l'artiste a fusionné les couleurs jusque-là séparées du ciel mais ne les a pas complètement amalgamées. De cette façon, il a évité de transformer ses combinaisons bleu-rose-jaune en une sorte de boue brunâtre. Il a également conservé un effet de lumière vibrante. Les nuages sont peints avec les mélanges de couleurs dont il s'est servi pour le ciel, mais avec plus de blanc pour les parties éclairées. Il a ensuite accentué les rochers avec des touches irrégulières et texturées de mélanges bleu-brun (outremer ou bleu cobalt, terre de Sienne

brûlée ou peut-être de la terre d'ombre brûlée, ocre jaune) qui donnent des bruns, des havanes et une fascinante diversité de gris chauds et froids.

4. (ci-contre) L'artiste s'est servi de mélanges bleutés et d'un soupçon d'ocre jaune pour rendre le ciel plus froid de façon à ce qu'il se marie mieux

aux coloris de l'eau bien qu'on puisse encore voir beaucoup de tons chauds dans la partie basse du ciel et dans les nuages. Il a appliqué de longs coups de pinceau à l'horizontale (avec des mélanges plus foncés que ceux du ciel) sur l'eau pour suggérer les vagues au loin et les reflets de la lumière. L'eau au premier plan est devenue plus vivante grâce à des petites touches de couleurs chaudes (terre de Sienne brûlée, ocre jaune et blanc sont prédominants) pour suggérer les ondulations de l'eau sous la chaude lumière du soleil. L'artiste a également assourdi le ton chaud des rochers avec des mélanges de bleu, jaune, ocre, blanc et terre de Sienne brûlée. On retrouve dans la partie sableuse les différentes couleurs du ciel. Les couleurs les plus dominantes sur la palette de l'artiste sont ici le bleu cobalt (comme l'outremer), l'ocre jaune, la terre de Sienne brûlée et le cramoisi alizarine avec de temps à autre du jaune cadmium clair et du rouge cadmium clair pour le premier plan éclairé par le soleil.

La lumière du matin sur les vagues

1. Après des études préliminaires pour délimiter les valeurs et les formes, E. John Robinson a peint la première couche avec les couleurs de base de chaque élément. Il a peint l'eau, sauf la vague, avec du bleu outremer additionné d'un soupçon de vert émeraude et a peint la vague elle-même avec du vert émeraude additionné d'un soupçon de bleu outremer. Il s'est servi d'une combinaison de terre de Sienne brûlée et d'outremer pour les rochers et n'a pas encore touché au ciel ni à la partie écumeuse. Normalement, le ciel a aussi ses propres couleurs mais, dans ce cas, l'artiste a décidé d'insister sur l'irisation de l'air — mélange de brume et de lumière du soleil — et c'est pourquoi il dut attendre pour appliquer les couleurs du ciel dans cette partie.

2. L'artiste s'est servi d'un mélange de bleu outremer, de blanc et d'un soupçon de cramoisi alizarine pour peindre la brume qui obscurcit presque la mer à l'arrière-plan. Les couleurs de l'atmosphère se reflètent toujours sur les couleurs des éléments; il a donc travaillé l'eau du premier plan avec ce mélange, surtout sur les surfaces planes qui font face au ciel et qui de la sorte réfléchissent la lumière. Il a cessé de mêler ses couleurs en approchant de la surface verticale de la vague. Les rochers sont glissants d'eau par suite des vagues et reflètent également les couleurs de l'atmosphère; c'est pourquoi l'artiste a mêlé son mélange pour le ciel aux couleurs naturelles des rochers.

3. Ajouter la lumière du soleil dans un tableau nécessite également le rajout des ombres correspondantes. Pour les couleurs de la lumière, l'artiste a mélangé du jaune pâle et du blanc avec un soupçon de cramoisi alizarine pour donner de la chaleur à son coloris. Il a préparé le lavande pâle des couleurs ombreuses avec du bleu outremer, du blanc et un soupçon de cramoisi alizarine en gardant son mélange dans un ton bleuté. Après avoir ajouté son mélange couleur soleil aux différentes parties du ciel et à l'écume du premier plan, il l'a appliqué en couche épaisse sur la grande vague et l'a introduit dans les ombres. Les rochers sont traités différemment: il leur a d'abord donné une tonalité plus chaude avec un mélange de jaune pâle et de cramoisi alizarine (le mélange couleur soleil mais sans blanc) et s'est ensuite servi de son premier mélange couleur soleil (avec du blanc) pour les parties éclairées. En appliquant des touches de ce dernier mélange, il a fait ressortir la couleur vert pâle de la vague.

4. Les dernières touches qu'on ajoute dans un tableau font souvent qu'il est une réussite ou un échec. Dans ce cas, l'artiste devait savoir quand s'arrêter ou alors il aurait perdu cette impression de spontanéité. Il a ajouté très peu de texture aux rochers mais beaucoup par contre aux mouvements de l'écume de la vague. Ce qui a restreint l'importance des rochers et fait de la vague le centre d'intérêt. En se servant d'une grande brosse sèche à vernis pour appliquer et assourdir les valeurs du ciel, il a limité l'impression de profondeur et créé un effet plus accentué de brume. Enfin, il a appliqué quelques coups de pinceau çà et là sur l'écume puis il a adouci les formes de l'écume au premier plan.

Matin d'été (61 × 91 cm). par E. John Robinson

La mer par temps de brume

1. Quand vous peignez une mer brumeuse, il ne reste plus grand-chose des couleurs naturelles après y avoir ajouté la lumière du soleil et l'irisation de l'air. C'est pourquoi E. John Robinson dut n'appliquer qu'une faible couche de fond en commençant cette marine. Il s'est servi d'un mélange de bleu outremer et de vert émeraude pour l'eau ainsi que de terre de Sienne brûlée avec une pointe de bleu outremer pour les rochers. Il a ensuite brossé ces couleurs sur sa toile. Étant donné qu'il ne s'agissait que de la première couche, il n'a pas voulu que sa pâte soit trop épaisse afin que les couleurs à venir ne se perdent pas quand il les appliquerait; il ne l'a pas diluée non plus parce qu'elles auraient été trop faibles. Il n'avait pas besoin de peindre le ciel dans ses couleurs naturelles parce que les coloris de l'atmosphère seront les seules visibles.

2. Dans cette scène, la couleur de l'atmosphère est avant tout bleu lavande que l'artiste a obtenue en ajoutant du bleu outremer et un soupçon de cramoisi alizarine à du blanc. L'atmosphère emplit le ciel à l'exception des parties où la lumière du soleil est très forte et se reflète dans la mer à l'arrière-plan, sur les rochers au loin et sur le haut des vagues et des rochers au premier plan. Quand vous ajoutez des reflets de l'atmosphère sur l'eau, assurez-vous de bien suivre avec vos coups de pinceau les contours de la surface de l'eau. À remarquer ici comment l'artiste a incurvé chaque touche en lui donnant une direction précise même si les coups de pinceau sont encore sans raffinement à cette étape. (Rappelez-vous que la finition se fera à la dernière étape.)

3. D'une façon générale, c'est la lumière du soleil qui engrisaille ce tableau. L'artiste s'est servi d'un mélange de jaune pâle et de blanc pour la lumière du soleil en ajoutant très peu de blanc dans les parties plus éclairées et en appliquant une pâte épaisse pour qu'elle ne se mélange pas à la première couche et donc ne se perde pas. Il a peint en jaune pâle additionné d'un peu plus de blanc les parties plus faiblement éclairées et s'est servi de son complément, le lavande pâle, pour les ombres. Il a étalé vivement ces couleurs sur la partie toujours humide de l'atmosphère et, en les combinant, il a obtenu une couleur d'un gris neutre. À remarquer que le rajout de la lumière du soleil fait paraître les parties vertes de l'eau plus transparentes.

4. À cette étape, l'artiste a décidé qu'il y avait trop de détails pour la quantité de brume qu'il voulait ajouter et c'est pour-

quoi il a surimposé plus d'atmosphère par-dessus tout sauf sur les parties éclairées de l'élément principal. Il a combiné son mélange couleur soleil à celui de l'atmosphère en y ajoutant un peu plus de blanc pour rendre tout le tableau plus clair. L'artiste a appliqué le plus de texture et donné la plus haute valeur possible à l'élément principal afin qu'il retienne l'attention. Il a passé une brosse sèche à vernis sur l'arrière-plan pour adoucir les contours et rendre les rochers moins visibles dans la brume.

Moments de calme (61 × 91 cm)
par E. John Robinson

Le traitement des contre-courants

1. Ce tableau ne montre que de l'eau avec seulement la présence cachée de rochers sous la surface. E. John Robinson a commencé par le haut de la toile avec du vert émeraude non dilué et y a ajouté du bleu outremer en descendant. Il s'est servi d'un mélange de terre de Sienne brûlée et de bleu outremer pour les rochers. Il a laissé dégarnies les parties où tombe le soleil.

2. Étant donné qu'on ne verra pas le ciel dans ce tableau, l'artiste ne pouvait que suggérer l'atmosphère ambiante en montrant le reflet de ses couleurs sur la surface de l'eau. Il a suivi le contour de l'eau en mouvement, tandis qu'il ajoutait les reflets du ciel invisible, en se servant d'un mélange de bleu outremer non dilué et de blanc. Presque partout, il a laissé la couleur de l'atmosphère recouvrir plutôt que se combiner à l'eau pour suggérer la pureté du ciel et souligner là l'indice élevé de réflexion de l'eau.

3. La lumière du soleil est peinte avec un mélange de jaune cadmium moyen et de blanc. L'artiste a d'abord brossé les parties les plus claires: l'écume et son bouillonnement face au soleil. Ensuite, il a ajouté des reflets de lumière bondissante à la surface de l'eau, partout dans le tableau, en faisant bien attention de ne pas perdre la continuité du mouvement que suggèrent les lignes. Là où n'arrive pas la lumière du soleil, il a ajouté des ombres un peu partout en faisant attention de ne pas perdre cette même continuité de mouvement. Pour les ombres, il s'est servi d'un mélange lavande contenant juste assez de cramoisi alizarine pour leur donner un ton chaud. Il a créé une zone transparente qui fait partie de l'élément principal en combinant son mélange de jaune cadmium moyen au vert émeraude qu'il avait déjà appliqué pour le rendu de l'eau.

4. La finition de ce tableau a demandé beaucoup de patience. D'abord, l'artiste s'est servi d'une brosse sèche à vernis pour adoucir tous les bords sauf quelques-uns dans l'élément principal. Puis il s'est servi de sa couleur d'atmosphère et de son mélange couleur soleil pour mieux circonscrire les contours des vagues et de la houle. De cette manière, tout le tableau devient plus clair et on y voit mieux l'irisation et les reflets de la lumière du soleil. La composition subtile de la vague transparente et l'utilisation par l'artiste d'une pâte plus

épaisse pour cette partie permettent à l'élément principal de ne pas perdre de l'importance alors qu'il ajoutait des détails et de la couleur à d'autres endroits. Le mouvement au-dessus des rochers submergés ne sert qu'à ajouter une certaine texture et à rendre plus denses les ombres au premier plan.

Contre-courants (61 × 91 cm)
par E. John Robinson

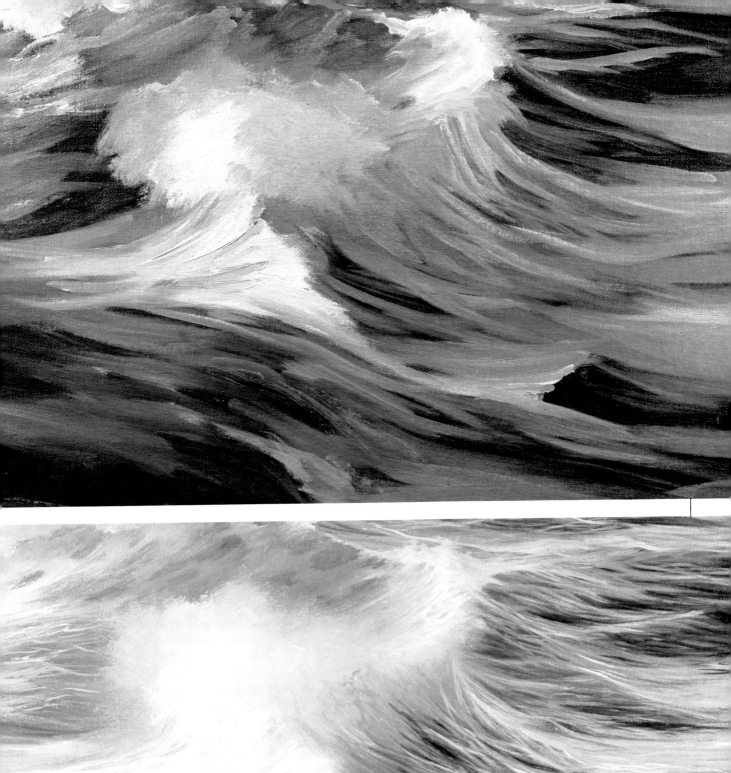

La lumière du soleil sur la mer

1. Sachant à l'avance que la tonalité générale de son tableau reflétera l'embrasement du soleil, E. John Robinson a appliqué sa première couche de peinture avec un minimum de couleurs de base. Il a ajouté du bleu pâle de chaque côté du ciel et a peint en gris le nuage au centre en se servant d'un mélange de terre de Sienne brûlée, de bleu et d'un peu de blanc. Il a utilisé le même mélange avec moins de blanc pour peindre la pointe de terre. Pour la couleur des vagues, il s'est servi du vert émeraude qui permit de créer un effet de vert olive. Pour le sable, il a préparé un lavis léger de terre de Sienne brûlée et de jaune cadmium foncé puis l'a rendu plus gris en y ajoutant un peu du mélange utilisé pour le nuage. Il s'est servi de terre de Sienne non diluée pour les rochers.

2. Dans ce tableau, la couleur de l'atmosphère sera plus influencée par la lumière du soleil que par les couleurs reflétées par le ciel. L'artiste a commencé par peindre l'atmosphère au centre de la toile en appliquant du jaune cadmium foncé non dilué à l'arrière-plan et en s'avançant vers le premier plan, tout en prenant soin d'en bien mélanger les arêtes avec le gris du ciel, de l'eau et du sable. Combinant son jaune à de la terre de Sienne brûlée et du bleu, il l'a ajouté aux nuages pour leur donner plus de présence formelle. Puis il s'est servi du même mélange pour ajouter le reflet de la lumière sur la pointe de terre et dans certaines parties du premier plan. À remarquer que l'application des couleurs de l'atmosphère à la vague à contre-jour commence à la rendre transparente.

3. L'artiste a déjà appliqué presque toutes ses couleurs d'atmosphère et c'est pourquoi, à cette étape-là, il se contente de travailler les effets d'embrasement. Il s'est servi avec parcimonie de son mélange pour ne pas en assombrir indûment l'impact. La vague est devenue plus opaque par suite de l'addition de blanc opaque mais l'effet de transparence est toujours visible. Ensuite, l'artiste a appliqué du bleu dans les ombres. Ce qui n'a pas dérangé l'harmonie chromatique parce que le bleu est le complément de l'orange et que le jaune cadmium foncé est très voisin de l'orange. Combiné à la première couche de jaune, le bleu fait paraître verts certains endroits et c'est pourquoi l'artiste y a ajouté un soupçon de cramoisi alizarine pour amortir le vert.

4. L'artiste a ajouté de l'écume à la vague ainsi qu'au premier plan, à la

houle de l'arrière-plan et un peu plus de reflets lumineux dans la région centrale. La présence de l'écume est d'une grande importance ici car elle donne de la texture à une vague qui serait autrement sans vie et elle y ajoute suffisamment d'intérêt pour attirer vers la vague l'oeil du spectateur s'attardant sur l'embrasement. La zone des embruns au premier plan aurait pris trop d'importance si l'artiste n'y avait pas ajouté de la texture pour la casser. Il a surimposé un

peu de brume dans le ciel avec une brosse sèche à vernis pour donner une impression de recul.

Vue de la plage (61 × 91 cm)
par E. John Robinson

Les vagues au clair de lune

1. Le ciel éclairé par la lune est parfois chaud et parfois froid mais jamais noir. Ayant décidé que le clair de lune entrerait dans son tableau par la gauche et qu'il déverserait beaucoup de lumière, E. John Robinson est allé du clair au foncé dans le ciel au fur et à mesure qu'il approchait du côté droit de la toile. Il s'est servi d'un mélange de deux parties de bleu outremer pour une partie de terre de Sienne brûlée en l'éclaircissant avec du blanc et un soupçon de jaune pâle. Il a ajouté plus de blanc à son mélange pour les nuages. Pour l'eau, il s'est servi d'un mélange non dilué de vert émeraude et de terre de Sienne brûlée; pour les rochers, de la terre de Sienne brûlée et du bleu outremer. Il a laissé dégarnies l'écume et les parties éclairées par la lune.

2. Désireux d'obtenir un clair de lune jaune pâle et chaud, l'artiste a décidé de se servir de sa complémentaire, le violet pour l'atmosphère. Il a appliqué du violet dans les nuages, sur les zones étales de l'eau et sur le haut des rochers. Bien qu'il ait utilisé encore plus de son mélange pour le rocher au loin à droite que pour les rochers du premier plan, il n'en a pas appliqué suffisamment pour l'assombrir parce qu'il voulait que l'atmosphère demeure très claire.

3. L'intensité et la couleur du clair de lune diffèrent grandement d'une nuit à l'autre. Parfois, le clair de lune est légèrement verdâtre et, à d'autres moments, il est d'un jaune plus chaud. Cependant, il est généralement très blanc avec une pointe de jaune pâle et c'est le mélange choisi par l'artiste dans ce tableau. Il a d'abord combiné son mélange avec le vert déjà appliqué pour créer un effet de transparence dans l'eau. Ensuite, il s'en est servi pour ajouter des taches lumineuses à l'écume et aux nuages puis a combiné ce même mélange à la terre de Sienne brûlée des rochers pour leur donner un ton proche de l'orange. Il a appliqué le mélange lavande dont il s'était servi pour les nuages aux endroits plus foncés de l'écume blanche et en a ajouté par la même occasion sur les nuages. Il s'est servi du même mélange mais sans blanc pour peindre les ombres des rochers et celles qu'ils projettent sur l'eau.

4. Le tableau a encore besoin de beaucoup de texture que l'artiste a ajoutée même dans le lointain pour souligner que l'atmosphère est suffisamment claire pour qu'on en voie les détails. Il s'est servi de la lumière réfléchie pour donner une impression de mouvement dans les éclaboussures autour des

rochers. Il a ajouté des fissures et des crevasses à la surface des rochers. Ensuite il a introduit plus d'atmosphère et de reflets lumineux pour donner plus d'importance aux rochers et pour créer suffisamment d'intérêt de façon à diriger l'oeil de l'un à l'autre avant de revenir sur l'élément principal. Il a également ajouté de la texture à l'écume en dessous de son bouillonnement comme pour récompenser le spectateur d'avoir suivi la vague. Ces détails et ces textures suggèrent beaucoup d'action et placent ce tableau dans une catégorie bien loin des clairs de lune romantiques et généralement sereins qu'on voit trop souvent.

Vagues au clair de lune (61 × 91 cm)
par E. John Robinson

PEINDRE LA RÉALITÉ

Le peintre réaliste fait souvent face au problème d'avoir à créer un tableau qui soit non seulement précis, mais ressemblant comme si les objets dépeints n'étaient pas tant des accessoires réunis dans une mise en scène qu'une réalité proprement dite. Ce chapitre vous aidera à ajouter du caractère et de l'authenticité à vos tableaux pour obtenir cette forme de réalisme. Une étude détaillée de chaque étape souligne les diverses décisions à prendre en cours de route et comment même des dessins préliminaires et des croquis rapides sont d'une importance cruciale dans le cheminement de la création. Les pages qui suivent vous montrent comment vous servir de votre ébauche initiale pour réaliser votre tableau, à quel moment employer des jus et des glacis, où et quand ajouter ombres et lumières, comment faire des textures et des grattages avec un pinceau ou un cure-dents!

Bois, rouille, porcelaine et émail

1. Ken Davies a tout de suite été attiré par l'idée de peindre ce vieux cabinet et cette petite théière blanche. Il a commencé par en faire un dessin poussé sur un panneau de «masonite» traité au gesso, avec un crayon à mine 2H. Il a tout dessiné, même la tête des clous, et a circonscrit les ombres. Il s'est servi d'une gomme non abrasive pour adoucir les bords et corriger ses erreurs. À remarquer la précision des lignes de la théière. Dans ce genre de photoréalisme, il ne peut y avoir de fantaisie dans le dessin, il doit être exact. Parfois, on pourrait être tenté de laisser de côté un passage difficile en ne le finissant pas tout de suite mais plus tard au moment de le peindre. Ne le faites pas, il est plus facile d'être précis au crayon qu'au pinceau.

2. L'artiste a ensuite passé un lavis sur tout le tableau, ce qui lui permet d'obtenir rapidement une bonne impression de fini. Habituellement, on peut déjà dire si le tableau sera réussi ou non. S'il ne l'est pas, il est préférable de le jeter et, à cette étape-là, vous n'aurez perdu qu'un peu de votre temps.

Pour la théière, l'artiste a dilué sa pâte jusqu'à la rendre transparente dans un mélange de térébenthine, d'huile de lin et de vernis damar (un tiers pour chaque ingrédient). Les ombres de la théière sont peintes avec un mélange de blanc, de bleu cobalt et de terre d'ombre naturelle, l'un des mélanges préférés de l'artiste.

3. Voici une vue rapprochée du cabinet et de la partie traitée au lavis derrière. L'artiste a peint l'arrière-plan avec de la terre d'ombre brûlée pure et lui donné une texture avec un grand pinceau rond en soie.

4. Une fois l'arrière-plan bien sec, il lui a donné un glacis en y ajoutant de la terre d'ombre brûlée jusqu'à ce que la texture soit à peine visible. On voit également ici le côté et le haut du cabinet. Pour les fixer, il a passé par-dessus le lavis de l'étape n° 2 un frottis d'une couleur semi-opaque composée avec du blanc, du bleu céruléum, de la terre de Sienne naturelle et de la terre d'ombre naturelle.

5. Ensuite, il a fini la texture du bois sur les couleurs déjà posées avec un très petit pinceau en poils de martre et a exploité la texture du lavis original qu'on voit par transparence. Il s'est servi de bleu cobalt et de terre d'ombre naturelle pour les foncés et de blanc, de terre d'ombre naturelle, de bleu céruléum et d'un soupçon d'ocre jaune pour les clairs.

6. Avec son mélange de blanc, de bleu cobalt et de terre d'ombre naturelle, il a peint la tête des clous du cabinet. Cependant, il n'a utilisé que très peu de bleu, juste pour neutraliser la terre d'ombre. Sur la tête des clous plus rouillés, il a ajouté un peu de terre de Sienne brûlée.

7. Ici, l'artiste a fini la porte du cabinet en y appliquant un peu plus de couleur opaque étant donné que la texture du lavis était quelque peu monotone. À cette étape, le cabinet possède tous ses détails et est prêt pour le glacis. Il s'est servi d'un mélange de bleu cobalt et de terre d'ombre naturelle pour le glacis des ombres. On voit jusqu'à quel point l'effet de profondeur s'est accru après l'application du glacis sur les ombres. L'artiste s'était attendu à mettre plus de vert émeraude dans son mélange mais, lorsqu'il s'aperçut que les ombres deviendraient trop vertes, il l'a complètement éliminé.

8. Voici une vue rapprochée du loquet peint au lavis. L'artiste l'a fait rapidement avec un lavis transparent de terre d'ombre naturelle réchauffé avec de la terre de Sienne brûlée pour lui donner de la texture. Ici, on voit encore certains coups de crayon paraître à travers le lavis.

9. Il a continué de travailler le loquet avec une couleur plus opaque en se servant de bleu cobalt, de terre d'ombre naturelle et d'un peu de terre de Sienne brûlée qu'il a mélangés avec de petites quantités de blanc et d'ocre jaune pour lui donner du corps. À remarquer que la partie ici travaillée est plus foncée et plus grise que le lavis.

10. Une fois les couleurs appliquées, il les a barbouillées soigneusement avec un pinceau usé pour les mêler. Pour finir le loquet, il a attendu que ce soit sec avant d'y appliquer les dernières touches. Une fois sec, il a ajouté des taches claires et foncées à la texture du loquet à l'aide d'un pinceau en poils de martre n° 1.

11. Voici (en haut) à quoi ressemblait la penture après l'étape du lavis. Pour la terminer (en bas), l'artiste s'est servi de la même technique et des mêmes couleurs que pour le loquet. Les petites taches claires ne sont pas blanches mais d'un mélange plutôt foncé de blanc, d'ocre jaune et de terre de Sienne naturelle. Elles paraissent plus claires qu'en réalité à cause des valeurs très foncées qui les entourent.

12. (ci-dessous) L'artiste vient de terminer le bouton blanc. Il en a foncé le bord du côté de l'ombre et l'a éclairci du côté éclairé. Il lui a donné de la texture avec un grattage subtil et a peint la tête métallique avec de la terre de Sienne brûlée pour en simuler la rouille. Le bouton du tiroir peut paraître blanc mais, en fait, l'artiste l'a peint avec un gris chaud de plusieurs tons plus foncé que le blanc.

13. L'artiste a presque terminé la théière et a fusionné les ombres avec soin en les barbouillant et en les lissant avec un pinceau usé en poils de martre. À cette étape, les ombres sont juste un peu plus claires qu'elles le seront à la fin.

14. Pour en finir avec la théière, l'artiste a passé un glacis un ton plus foncé sur les ombres. Il a ajouté des grattages, des marques à peine effleurées et des taches claires sur la surface puis a terminé le fil et l'étiquette du sachet. Les taches claires sur la minuscule broche métallique de l'étiquette ont été rendues à l'aide de l'un des pinceaux les plus petits qui soient, en l'occurrence le n° 0000 en poils de martre!

15. À remarquer comme la théière est légèrement décentrée, plus vers la gauche, pour accentuer le réalisme du tableau. On n'a pas l'impression qu'il s'agit ici de deux accessoires mais plutôt d'un arrangement bien conçu. On peut voir aussi comment l'artiste s'est attaché à rendre les plus petites éraflures et taches qui ajoutent de l'authenticité à l'ensemble du tableau. Comparez l'état final du tableau à l'étape de la page 99 pour constater la différence apportée par les détails de la texture.

L'heure du thé (57 × 55 cm)
par Ken Davies

Surfaces de fonte et de brique

1. (page ci-contre) Ken Davies a exécuté ce dessin à partir d'un croquis antérieur. Il avait aimé les reflets de la lumière sur le poêle ventru mais, comme il voulait obtenir plus d'un effet, il avait incorporé à son premier croquis des éclairages pris à différents moments de la journée. Ce fut d'une très grande importance lorsqu'il décida de la composition ultime de son tableau. Le dessin final est exécuté sur un carton entoilé et recouvert de fixatif en bombe. Ensuite, l'artiste a recouvert toute la surface avec un vernis à retoucher pour la protéger.

2. L'artiste a appliqué un léger jus sur chaque brique en forçant la couleur rouge des briques. Sauf pour le plancher et la petite zone ombreuse à gauche, il a laissé paraître le blanc du support pour indiquer le mortier entre les briques. (Du point de vue de l'artiste, le tableau est mauvais à cette étape-là.)

3. Ensuite, il a ajouté la couleur du mortier et le tableau commence à prendre forme à ses yeux même s'il est impatient d'ajouter un jus sur toutes les briques rouges et à peine ébauchées.

4. Ensuite l'artiste a appliqué un lavis sur le poêle et son tuyau. Il a dû faire sécher le tableau pendant plusieurs jours avant de pouvoir poser un glacis sur les ombres. Une fois le tableau séché, il a appliqué un glacis sur les ombres des briques, ce qui a renforcé les effets de lumière qui avaient retenu son attention tout au début. Le glacis était un mélange de terre d'ombre naturelle et de bleu cobalt qui permirent de neutraliser la couleur rouge des briques sur laquelle il avait fortement insisté à l'étape du lavis.

5. Comme on peut le voir dans cette vue rapprochée du poêle passé au lavis, l'artiste a laissé son dessin paraître au travers comme il le fait souvent dans ses tableaux pour appuyer la forme et la finition.

6. Les zones claires du poêle sont peintes avec un mélange simple de terre d'ombre brûlée et de blanc, ce qui donne un ton chaud à la lumière qui tombe sur la fonte froide.

7. L'artiste a travaillé les ombres au plancher sous le poêle et sur les briques, puis a ajouté des détails dans les zones éclairées. À remarquer comment les effets de lumière permettent de créer une remarquable zone lumineuse. L'étonnant réalisme de chaque brique a été rendu possible grâce au fait que l'artiste a peint chacune d'elle séparément.

Le poêle ventru (47 × 31 cm)
par Ken Davies

Ombres et lumières sur planches à déclin

1. La qualité stimulante et abstraite des ombres et des lumières de cette vieille maison a inspiré Ken Davies à exécuter ce tableau. Il a commencé en le dessinant sur un panneau en masonite préalablement traité au gesso. Le bâtiment n'avait en réalité pas de stores aux fenêtres qui, toutes deux, étaient comme celle de gauche. Il a ajouté un store sur la fenêtre de droite pour deux raisons: pour diversifier les deux formes foncées et pour rendre plus clair le côté droit du tableau qui étaient plus dense à cause de la grande ombre en diagonale. L'artiste a senti qu'en ajoutant le store, cette partie-là serait plus en équilibre avec le côté gauche.

2. À l'étape du lavis, l'artiste a peint toutes les ombres avec un mélange dilué de bleu cobalt et de terre d'ombre naturelle. Il a laissé dégarnies les parties claires qui, à ce moment-là, sont encore en gesso blanc. Il a donné une texture au sol devant le bâtiment en le barbouillant avec un pinceau en soies alors que le lavis était encore humide. Il a ajouté des effets de lumière en appliquant un mélange dilué de blanc et d'ocre jaune sur toute la partie des planches à déclin. Seules les grandes ombres et la porte d'entrée gardent encore leur lavis original. Ce mélange blanc-jaune ajoute un chaud ton ensoleillé aux parties claires et fait contraste avec le ton froid et blanc bleuâtre du gesso.

3. Ici, l'artiste a peint les grandes ombres avec son lavis blanc-jaune et a circonscrit la section médiane des planches à déclin avec un mélange opaque de blanc, de bleu céruléum et de terre d'ombre naturelle. À remarquer comme ce lavis donne une apparence plus chaude et plus riche que l'aspect laiteux des autres ombres. À cette étape, l'artiste a fini d'esquisser toutes les planches à déclin et les grandes ombres alors que la porte d'entrée et la fenêtre en sont encore au lavis.

4. (ci-dessous, à gauche) Voici une vue rapprochée de la fenêtre de gauche. L'artiste a peint les reflets subtils de la lumière sur les vitres sombres. L'ombre de la fenêtre (qui est entrée par la suite dans la composition) et le châssis sont approximativement composés. La couleur des vitres sombres n'est pas noire mais un mélange de bleu outremer et de terre d'ombre brûlée.

5. (ci-dessous) Dans cette vue rapprochée de la fenêtre de droite, on peut voir que la moitié supérieure n'a reçu qu'un lavis alors que les planches à déclin de la moitié inférieure sont entièrement ébauchées.

6. Ici, l'artiste a ébauché la porte d'entrée. À remarquer l'ombre sur la fenêtre de gauche. En comparant cette étape à une autre antérieure, on peut constater par soi-même si le rajout de l'ombre est une amélioration ou pas. L'artiste a fini d'appliquer son glacis sur presque toutes les planches à déclin, sauf sur la partie horizontale en haut du tableau. Voyez comment le glacis est étalé sur les grandes ombres et sur celles en dessous des fenêtres.

7. (page ci-contre, en haut) La fenêtre de droite ressemblait à celle de gauche avant sa finition. La fenêtre de droite après finition se trouve à droite.

8. (page ci-contre, en bas) Dans cette vue rapprochée de la porte (à gauche), on voit que le dessin des panneaux sur les deux battants est légèrement visible sous la peinture. C'est ainsi qu'était la porte avant la finition. La porte après finition se trouve à droite.

9. (en haut) À cette étape, la moitié gauche du sol est encore recouverte de lavis. L'artiste a dû en terminer d'abord avec les fondations foncées avant de pouvoir y ajouter de l'herbe ou des pierres.

10. L'artiste vient de finir le sol. Les pierres sont en grande partie suggérées par la texture du lavis déjà appliqué. Chaque fois que la texture lui suggérait une pierre ou un caillou, l'artiste a simplement appliqué une ombre sur le côté et a éclairci l'autre avec son mélange. Pour les parties claires, il s'est servi de blanc et d'ocre jaune et, par endroits, d'un soupçon de terre de Sienne naturelle; pour les ombres, il s'est servi en général de terre d'ombre naturelle avec un soupçon de terre de Sienne naturelle. Il a gratté un lavis de vert de vessie avec un cure-dents ou un vieux pinceau durci en poils de martre pour faire les feuilles, sur la couche encore humide. Il a ajouté de la couleur opaque sur les parties claires et a placé des ombres là où le grattage semblait les suggérer.

11. L'artiste a réussi à transposer le jeu des ombres et des lumières sur la vieille maison de son tableau. À remarquer que la partie supérieure de la porte est d'un subtil ton chaud qui se marie bien avec la couleur plus froide de l'autre partie de la porte. Il en est ainsi parce très peu de lumière venant du ciel tombe sur cette partie à cause du surplomb au-dessus de la porte. C'est pourquoi le reflet chaud venant du sol n'est pas neutralisé comme il l'est ailleurs sur cette porte.

Planches à déclin et ombres (61 × 90 cm)
par Ken Davies

PEINDRE LE NU ET LE PORTRAIT

Ce chapitre présente ce qui est probablement le thème le plus difficile et le plus fascinant de toute la peinture: l'être humain. Depuis les croquis au crayon jusqu'au tableau terminé, les études détaillées des pages suivantes expliquent et dévoilent les nombreuses techniques dont on se sert pour obtenir de bons résultats dans le traitement du nu et du portrait. Les principales préoccupations des peintres du corps humain sont: travailler *en allant* vers les foncés, trouver la valeur de base de la composition du tableau, traiter avec justesse les teints clairs, moyens et foncés de la peau, préparer des mélanges qui suggèrent bien les couleurs chair, saisir la personnalité du modèle, capturer les effets de lumière sur la figure et le portrait, sur le nu et le demi-nu.

La forme du visage humain

Il n'est pas facile de déterminer les raisons qui poussent un artiste à peindre des nus et des portraits au lieu des paysages et des natures mortes. L'une d'elles en est peut-être que le visage humain est probablement le sujet le plus difficile et le plus fascinant à peindre. Transposer l'effet sensuel de la lumière sur un nu couché dans une pièce ensoleillée ou reproduire la personnalité réservée ou frivole d'un modèle en même temps que ses traits sont autant de défis pour l'artiste.

Dès le début d'un tableau, même dans les croquis et les études préliminaires, le peintre de nu et de portrait travaille en collaboration avec un personnage important: son modèle. Vous préoccupez-vous de savoir si votre modèle est à son aise et vous inquiétez-vous également de savoir s'il s'ennuie ou s'il a froid? L'artiste Jane Corsellis considère qu'en laissant son modèle choisir lui-même sa pose, elle se sent — ainsi que le modèle — plus à l'aise. Si votre problème vient du fait que vous vous sentez trop nerveux (se) ou maladroit (e) en travaillant en compagnie de cette seule personne, peut-être préférerez-vous suivre un cours avec d'autres. La présence d'étrangers rendra votre travail plus facile mais n'oubliez pas que la présence d'autres personnes peut distraire votre attention.

Beaucoup trop de peintres se contentent de mettre de la couleur sur leur palette, de prendre un pinceau, de faire un signe de tête pour demander au modèle de rester debout ou de s'asseoir, puis se mettent à peindre. En réalité, il est préférable de faire une étude de composition avant de commencer à peindre (bien que ce travail préliminaire ne garantisse pas toujours que des problèmes ne surgiront pas en cours de route). Il faut souvent des heures et même des jours pour dresser le plan et la composition de votre tableau. Même si la pose peut vous paraître intéressante, rien ne garantit qu'il en sera de même sur la toile étant donné qu'un bras ou une jambe bien dessiné ne sera pas obligatoirement un élément visuel agréable à voir dans votre tableau. Vous considérez peut-être que le choix d'une pose préconçue est ce qui vous convient le mieux comme pour l'artiste Charles Pfahl. Essayez d'inclure vos propres idées dans vos études préliminaires au crayon quand vous travaillez le contour et la proportion des formes ainsi que les jeux d'ombres et de lumières. Même les études dont vous ne vous servez pas peuvent vous être utiles si vous les gardez pour références futures. Mais ne les oubliez pas! Beaucoup d'artistes trouvent leurs meilleures idées de tableaux dans de vieux dessins

et, de plus, vous en ressortirez des souvenirs que vous incorporerez au tableau que vous êtes en train de peindre.

Pour bien organiser le plan de votre tableau, étudiez-le sous tous les angles, voyez comment la lumière tombe des différents côtés et analysez avec soin les éléments qui en sont présents ou absents. Vous aurez peut-être envie d'ajouter, d'enlever ou de déplacer des objets jusqu'à ce que la scène vous convienne. Le nu peut faire partie intégrale de votre plan, bien campé dans son environnement, comme le préfère Jane Corsellis, ou peut n'être qu'un élément secondaire de votre tableau. Vous constaterez que, en suivant votre inclination, vous travaillerez probablement le nu selon ces deux conceptions.

Peindre une tête, c'est-à-dire un portrait traditionnel, ne présente pas de difficultés particulières. Il s'agit simplement d'un exercice normal en peinture qui, une fois appris et acquis, peut être repris bien des fois avec succès quel que soit le modèle. Cependant, en préparant un portrait, il est bon de prendre plusieurs importantes décisions sur le plan pratique avant d'entreprendre le portrait projeté.

Bien des portraitistes conseillent de peindre la tête grandeur nature et ce, pour deux raisons: 1° le portrait n'en est que plus réaliste et 2° le peintre a plus de facilité à l'exécuter parce qu'elle se présente normalement et naturellement. Le choix suivant est de peindre la tête plus petite que grandeur nature et le troisième choix, le moins bon, est de la faire plus grande que nature mais elle présente alors des effets de distorsion lui donnant un aspect faussé et bizarre.

Après avoir décidé de peindre le portrait grandeur nature ou non, vous devrez en étudier la structure des valeurs. Voyez s'il aura dans l'ensemble une valeur claire ou sourde. Le peindrez-vous en dégradé (c'est-à-dire librement en laissant paraître un peu du blanc de la toile) ou en délimitant les bords avec netteté? L'expression en sera-t-elle libre ou solennelle? Sérieuse ou enjouée? Quel sera le registre d'émotions sur le visage du modèle: sévérité, joie ou méditation?

Étant donné que les combinaisons de valeur, d'état d'âme, de forme et d'émotion peuvent varier à l'infini, il est préférable de décider à l'avance ce que vous et le modèle avez l'intention de faire.

En pensant à votre portrait, vous devrez également vous préoccuper de la forme générale de la tête du modèle: ronde, carrée, étroite. Et les yeux, le nez, la bouche, le teint, les proportions, la pose du modèle? Après avoir analysé, assimilé et pesé ces divers éléments, essayez d'abord quelques poses (à

moins d'avoir déjà une idée préconçue comme on en a parlé plus haut). Demandez au modèle de poser de face, de trois quarts vers la gauche, de trois quarts vers la droite, en montrant le profil droit et le profil gauche. Ensuite, décidez quelle pose vous convient. Vous pouvez demander à votre modèle de s'asseoir au niveau de votre vision ou légèrement plus bas ou encore de le faire poser un peu plus haut. Aucune de ces poses n'est meilleure qu'une autre; c'est simplement un choix à faire au moment de commencer le portrait. La pose qui vous semble la plus naturelle est celle que vous devrez adopter.

Une autre décision importante à prendre est le choix de votre fond. Faites des essais avec des fonds de couleurs et de valeurs différentes. Votre décision sera en fonction de celles prises plus tôt par vous à propos de l'état d'âme et de l'effet que vous voulez rendre: fort et dramatique ou doux et serein, par exemple. La couleur des cheveux, du teint et des vêtements du modèle est primordiale dans le choix du fond. Voici quelques conseils à suivre: pour les cheveux blonds ou blancs, utilisez un fond plus foncé et contrastant; pour les cheveux bruns, utilisez un fond en demi-ton mais en allant plutôt vers le clair si vous recherchez du contraste; pour obtenir un effet plus percutant et dramatique, choisissez un fond avec une valeur et une couleur s'opposant à celles du modèle; pour obtenir un effet doux et délicat, utilisez un fond qui soit proche en valeur et en couleur du modèle.

John Howard Sanden a constaté que le fond idéal est d'un ton plus foncé que les demi-tons les plus foncés du visage du modèle. Essayez cette manière.

Avant d'appliquer la première touche de couleur, il y a au moins une centaine de décisions à prendre et le peintre sérieux doit apprendre à canaliser les pensées qui tournent dans sa tête et les traduire en un programme efficace de travail.

Étudiez votre modèle en restant debout. Concentrez votre attention sur le fond, les cheveux, le côté éclairé du visage, le côté plus sombre, les vêtements. Prenez note des valeurs. Voyez comment jouent les ombres et les lumières.

Maintenant, vous pouvez commencer.

Les mélanges de couleurs sur la page ci-contre sont autant de suggestions pour vous aider à préparer vos tons chair mais ne sont pas des formules universelles pour les différents teints de peau. Comme on l'a dit dans le chapitre des couleurs (en page 29), les coloris des teints de peau sont particuliers à chaque personne. Servez-vous de ces

Le mélange des couleurs claires

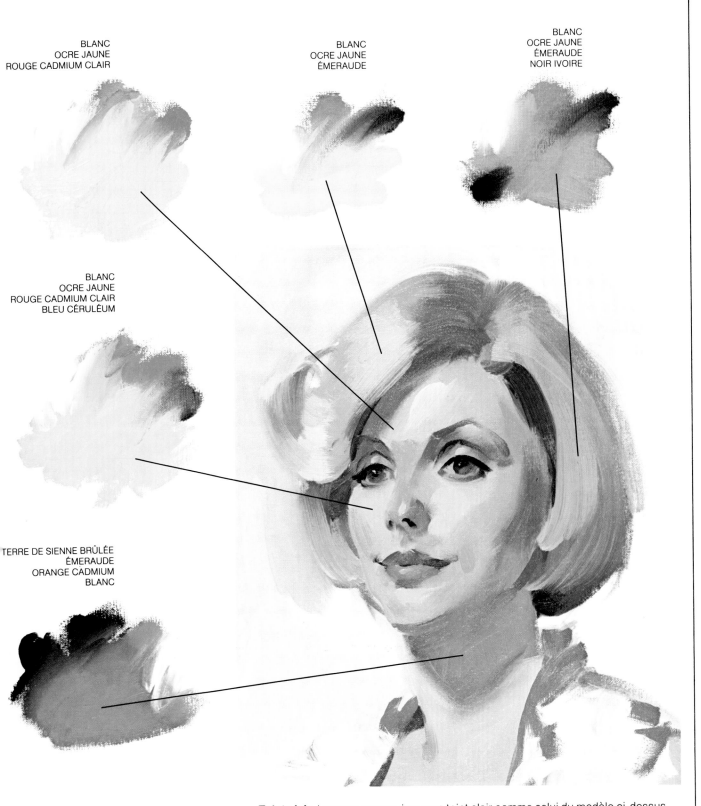

BLANC
OCRE JAUNE
ROUGE CADMIUM CLAIR

BLANC
OCRE JAUNE
ÉMERAUDE

BLANC
OCRE JAUNE
ÉMERAUDE
NOIR IVOIRE

BLANC
OCRE JAUNE
ROUGE CADMIUM CLAIR
BLEU CÉRULÉUM

TERRE DE SIENNE BRÛLÉE
ÉMERAUDE
ORANGE CADMIUM
BLANC

mélanges comme éléments de base à partir desquels vous expérimenterez. Et n'hésitez pas de le faire! Vous trouverez par vous-même la meilleure manière d'obtenir les couleurs chair dont vous avez besoin.

Teint clair. Lorsque vous peignez un teint clair comme celui du modèle ci-dessus, un mélange de blanc, ocre jaune et rouge cadmium clair vous fournira le ton approprié de couleur chair pour une zone éclairée comme celle du front. Il ne contient aucune tonalité froide ou grise. À remarquer que le blond naturel des cheveux n'est pas jaune vif mais plutôt une combinaison de tons neutres, froids et verdâtres pour les parties claires et quelques verts plus foncés et des noirs dans les ombres.

Le mélange des couleurs froides

BLANC
OCRE JAUNE
ROUGE CADMIUM CLAIR
BLEU CÉRULÉUM

BLANC
OCRE JAUNE
NOIR IVOIRE
TERRE DE SIENNE BRÛLÉE

NOIR IVOIRE
TERRE D'OMBRE BRÛLÉE
CRAMOISI ALIZARINE

BLANC
OCRE JAUNE
ROUGE CADMIUM CLAIR
ORANGE CADMIUM
VERT OXYDE DE CHROME

BLANC
OCRE JAUNE
ÉMERAUDE
ROUGE CADMIUM CLAIR

Teint moyen. La partie inférieure du visage de l'homme tend en général à avoir des demi-tons verdâtres par suite de la présence sous-jacente de la barbe. De plus, le teint de cet homme est plus prononcé que celui du modèle de la page 107, autre facteur qui a incité l'artiste à se servir ici d'une combinaison de mélanges généralement plus gris et plus froids pour les couleurs chair. Le mélange en haut à droite donne l'un des tons les plus foncés qui soient pour la peau. Cependant, dans le cas présent, il déploie une certaine chaleur à cause de la terre d'ombre brûlée et de l'alizarine qu'il contient.

Le mélange des couleurs foncées

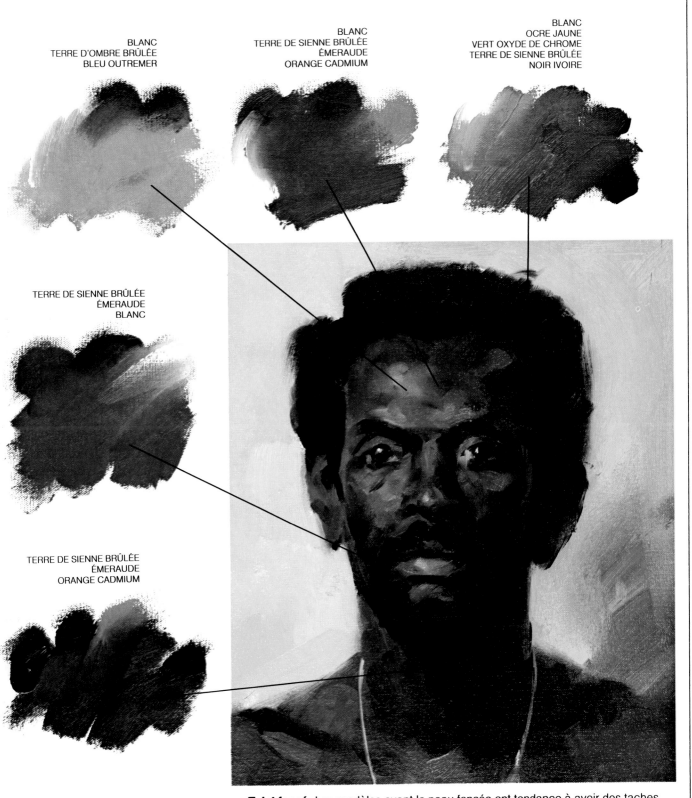

BLANC
TERRE D'OMBRE BRÛLÉE
BLEU OUTREMER

BLANC
TERRE DE SIENNE BRÛLÉE
ÉMERAUDE
ORANGE CADMIUM

BLANC
OCRE JAUNE
VERT OXYDE DE CHROME
TERRE DE SIENNE BRÛLÉE
NOIR IVOIRE

TERRE DE SIENNE BRÛLÉE
ÉMERAUDE
BLANC

TERRE DE SIENNE BRÛLÉE
ÉMERAUDE
ORANGE CADMIUM

Teint foncé. Les modèles ayant la peau foncée ont tendance à avoir des taches grisâtres ou bleuâtres sur le visage. Dans le cas présent, la lumière réfléchie a nettement un ton verdâtre. Pour peindre une peau foncée, les artistes ont parfois tendance à employer des tons plus clairs de peur de perdre le modelage de la peau. Cependant, pour réussir cette phase difficile, il faut garder ces parties sombres aussi foncées et aussi denses qu'elles le sont en réalité. Rappelez-vous aussi de créer un intéressant jeu de taches froides sur les couleurs chaudes dans lesquelles elles vont baigner.

Portrait de jeune femme

1. John Howard Sanden commence habituellement son portrait en esquissant la tête comme il l'a fait ici. Il s'est servi d'un gris neutre qui est un mélange de blanc, d'ocre jaune et d'un soupçon de noir ivoire, et il a commencé par le haut des cheveux et le bas du menton. Il a tracé les contours droit et gauche de la tête, la ligne des mâchoires, le dessin du cou, la courbe des épaules, la raie des cheveux, la ligne divisant les ombres et les lumières, la forme de la chevelure, les lignes du col et des manches. Il a ensuite mis en place les yeux, le bas du nez, la bouche et l'ombre sous la lèvre inférieure. Il s'est ensuite servi d'une couleur plus foncée pour souligner la partie ombrée des cheveux, a redressé la raie et mis en place la tempe, les pommettes et l'oreille.

2. Il a appliqué sur le fond un mélange de noir, de blanc et d'un soupçon d'émeraude plus froid. Pour les parties ombrées des cheveux, il s'est servi d'un mélange de noir et de cramoisi alizarine.

Pour les parties plus claires des cheveux, il a appliqué un mélange de terre d'ombre brûlée, d'outremer et de blanc. Ensuite, il a peint l'importante masse ombrée du visage avec un mélange de blanc, de terre de Sienne brûlée, d'émeraude et d'orange cadmium avec du vert oxyde de chrome. Il a appliqué un peu de terre de Sienne brûlée pour rendre plus visible la démarcation entre l'ombre et la lumière. Il a quelque peu foncé son mélange original pour peindre l'ombre sous le menton et celles du coin de l'oeil, de l'arcade sourcilière et sous le nez.

Il a terminé cette étape en peignant l'ombre projetée par la chevelure sur le cou et le long de l'épaule.

3. Ensuite il a appliqué tous les demi-tons en commençant par le côté foncé de la bouche qu'il a peint avec un mélange de blanc, d'ocre jaune, de rouge cadmium clair, d'émeraude et de noir ivoire. Les demi-tons à droite sont dans les mêmes couleurs mais dans des proportions différentes.

Puis il a peint la pommette droite avec un mélange de blanc, ocre jaune, vert oxyde de chrome et orange cadmium, additionné de rouge cadmium clair pour le rendre plus chaud. Le méplat correspondant à gauche est peint avec le même mélange plus un peu de bleu céruléum.

Dans la région du menton et du demi-ton qui se trouve entre l'ombre et la lumière, l'artiste a peint la partie foncée à la droite du modèle avec un mélange de blanc, de rouge cadmium clair, d'ocre jaune, de vert oxyde de chrome et d'orange cadmium, additionné d'un peu de noir ivoire pour le refroidir. Il a peint le méplat de gauche avec une proportion différente de ces mêmes couleurs. La tempe droite est peinte avec un mélange d'ocre jaune, d'émeraude, de rouge cadmium clair et de noir ivoire. La tempe gauche est soulignée par un mélange de blanc, d'ocre jaune, de rouge cadmium clair, de bleu céruléum avec un soupçon de noir ivoire.

L'aile du nez du modèle est peinte avec un mélange de blanc, d'ocre jaune, de noir ivoire et d'émeraude. Pour l'arête du nez, l'artiste s'est servi d'un mélange de blanc, de rouge cadmium clair, d'ocre jaune, de vert oxyde de chrome, d'orange cadmium et de noir ivoire. Puis il a passé sur les orbites une couleur d'un ton vert qu'il a obtenue en mélangeant ces mêmes couleurs dans une proportion différente.

Les méplats dessinés sur les joues de chaque côté du nez sont peints avec un mélange de blanc, d'ocre jaune et de rouge cadmium clair, additionné de bleu céruléum pour le côté foncé et sans ce bleu pour le côté gauche plus chaud.

Le cou et le col en forme de V sont peints avec un mélange de blanc, d'ocre jaune et de rouge cadmium clair, additionné d'un peu de bleu céruléum mais avec un peu de cette

dernière couleur dans les parties plus basses où joue le reflet du tissu. L'artiste a ajouté de l'émeraude à son mélange pour esquisser les bras et a peint rapidement le motif et les couleurs de la robe.

Ensuite il a peint les lumières: d'abord celle sur la joue avec un mélange de blanc, d'ocre jaune, de rouge cadmium clair, de bleu céruléum et d'orange cadmium; puis celle sur le front avec un mélange de blanc, d'ocre jaune et de rouge cadmium clair; enfin celle sur le menton avec un mélange de blanc, d'ocre jaune, de rouge cadmium clair, de bleu céruléum plus un soupçon d'alizarine.

4. Après la finition habituelle, l'artiste a frotté l'orbite des yeux avec son pouce pour en ôter l'excédent de peinture et a mis en place les deux iris brun foncé. Ensuite il a peint les parties foncées en modelant les yeux et les arcades sourcilières avec un mélange de blanc, de noir ivoire et de terre de Sienne naturelle. Puis il a modelé le nez en combinant les tons pour donner un effet de rondeur et a appliqué plusieurs touches de tons chauds autour de son extrémité. Il a peint l'ouverture des narines avec de l'alizarine et de la terre d'ombre brûlée et a façonné l'aile du nez.

La lèvre supérieure est peinte avec du rouge vénitien et de la terre de Sienne brûlée; la lèvre inférieure avec du rouge cadmium et du blanc. Il a souligné les plis foncés des coins et du milieu des lèvres et a mélangé du blanc à de l'alizarine pour placer une tache claire sur la lèvre inférieure. Il a appliqué une touche de vert foncé dans la région ombrée sous la lèvre inférieure et il a ajouté plusieurs demi-tons froids sur les méplats près des plis de la bouche. Bien que le portrait soit presque terminé, l'artiste s'est alors rendu compte que le menton était trop long et c'est pourquoi il l'a raccourci avec des touches d'ombre. Il a fini le portrait en y ajoutant des perles, des boucles d'oreille et, dans un rendu plutôt léger, le dessin de la robe.

Portrait d'homme

1. L'artiste a commencé ce portrait avec un mélange de pigments qui lui ont donné un ton grisâtre neutre: blanc, ocre jaune et noir ivoire. Avec cette couleur, il a esquissé le haut de la tête et le bas du menton, et a tracé les contours gauche et droit de la tête, le cou, l'encolure, les épaules, les revers et le front. Il a ensuite placé l'importante ligne qui sépare l'ombre et la lumière sur la tête du modèle et a mis en place les yeux, le nez, la bouche, l'ombre de la lèvre, la cravate et les cheveux.

2. L'artiste a peint le fond en gris clair. Il a divisé les cheveux en zones claire et foncée puis a peint les parties foncées avec du noir, de l'émeraude et de l'ocre jaune. Les tons ombrés des grandes parties foncées du visage sont peints avec un mélange de terre de Sienne brûlée, de blanc, d'émeraude, d'orange cadmium et de vert oxyde de chrome.

Pour la zone plus foncée le long du rebord de l'ombre, il a ajouté plus de vert et, pour les tons réfléchis plus clairs, il a ajouté plus de blanc et un soupçon de rouge cadmium. L'oreille est peinte avec un peu plus de rouge cadmium et il a ajouté de l'outremer à son mélange pour souligner la lumière froide reflétée par la chemise sous le menton. Toute l'ombre froide sur la tempe est peinte avec du blanc, de l'outremer et de l'alizarine. Le côté ombré du col de chemise et de la veste, les ombres projetées par la cravate et le revers ainsi que les ombres des orbites, du coin des yeux et sous le menton ont fait ensuite leur apparition. En dernier lieu, vinrent la bouche et l'ombre sous le nez.

3. L'artiste a commencé cette étape du portrait en s'attaquant à la zone d'ombre la plus prononcée en peignant la région de la bouche avec un mélange de blanc, d'ocre jaune, d'émeraude, de rouge cadmium clair et de noir ivoire. Le méplat éclairé de l'autre côté est peint avec un mélange plus clair de ces mêmes couleurs; celui près de la pommette gauche est un mélange de blanc, de rouge cadmium clair, d'ocre jaune, de vert oxyde de chrome, d'orange cadmium et d'un peu de bleu céruléum; quant à celui plus clair à droite, il est peint avec un mélange différent de ces mêmes couleurs.

Le menton est peint avec un mélange de blanc, de rouge cadmium clair, d'ocre jaune, de vert oxyde de chrome, d'orange cadmium et de rouge vénitien. L'artiste a peint le méplat droit du front avec un mélange de blanc, d'ocre jaune, d'émeraude, de rouge cadmium clair et d'alizarine. Le côté plus clair est peint avec du blanc, de l'ocre jaune, du rouge cadmium clair, du bleu céruléum et de l'émeraude.

Pour le nez, l'artiste s'est servi d'un mélange de rouge cadmium, de blanc, de rouge cadmium clair, d'ocre jaune, de vert oxyde de chrome et d'orange cadmium. L'orbite des yeux est peinte avec du rouge vénitien, du bleu outremer et un gris neutre préparé avec du blanc, de l'ocre jaune et du noir ivoire. La partie du front juste au-dessus de la zone claire est peinte avec du blanc, du rouge cadmium clair, de l'ocre jaune, du vert oxyde de chrome et de l'orange cadmium. L'artiste a peint séparément les parties claires: d'abord la pommette avec un mélange de blanc, d'ocre jaune et d'un peu de bleu céruléum, réchauffé avec du rouge cadmium clair; il s'est ensuite servi du même mélange pour le front mais en diminuant la quantité de rouge cadmium clair et en y ajoutant plus d'ocre jaune. Il a ajouté également certaines touches claires sur la chemise et la veste.

4. Pour terminer la tête, l'artiste a d'abord mis en place les iris brun foncé puis il a peint les ombres projetées par les yeux et les sourcils. Ensuite il a modelé le nez en y détaillant les narines, l'aile et l'extrémité. Il a également appliqué des taches claires sur le nez pour lui donner du volume et un effet de rondeur. Puis il a peint la bouche en commençant par la lèvre supérieure et en continuant par la lèvre inférieure, la ligne entre les deux, les ombres des plis de la bouche et enfin la partie claire de la lèvre inférieure. Il a placé une ombre sous la lèvre inférieure et a modelé plus avant la zone entre le nez et la lèvre supérieure. Il a ensuite façonné l'oreille avec des touches foncées de terre de Sienne et de terre d'ombre brûlées et a ajouté des taches claires d'alizarine et de blanc. Puis il a introduit des reflets de lumière froide projetés par les couleurs de la chemise et a fini le portrait en peignant la cravate et le dessin de la chemise.

Portrait d'un homme noir

1. Comme pour les portraits précédents, l'artiste s'est servi d'un gris neutre (mélange de blanc, d'ocre jaune et de noir ivoire) pour esquisser le haut de la tête, le bas du menton et les contours gauche et droit de la tête, le cou, les épaules et la ligne séparant l'ombre et la lumière. Ensuite il a tracé la raie, les yeux, le nez, la bouche, le col, les revers, la forme de la chevelure et l'emplacement de l'oreille. Enfin il a mis en place la barbe et la moustache.

2. L'artiste a peint le fond avec un mélange de blanc, de noir et d'ocre jaune, puis les zones foncées des cheveux et de la barbe avec du noir, de la terre d'ombre brûlée et de l'alizarine et un peu de blanc pour les parties plus claires. Il a ensuite préparé un mélange de terre de Sienne brûlée, d'émeraude et d'orange cadmium pour la tonalité d'ensemble du visage et du cou. Il a appliqué de la terre de Sienne brûlée pour souligner l'ombre du nez. Les yeux sont peints avec le même mélange que pour la zone ombrée du visage. L'artiste a également esquissé quelques ombres sur les vêtements.

3. Ensuite l'artiste a peint tous les demi-tons en commençant par la région de la bouche avec le mélange pour les ombres, additionné de blanc. La pommette est peinte avec un mélange de terre de Sienne brûlée, d'émeraude et d'orange cadmium pour la partie foncée. Il s'est servi du même mélange avec du rouge vénitien pour le côté plus chaud et plus clair. La tempe droite est un mélange de terre de Sienne brûlée, de blanc, d'émeraude et d'orange cadmium. Le reste du front, sauf les taches claires, est peint avec un mélange des mêmes couleurs, additionné de vert oxyde de chrome et d'un soupçon de noir. Le nez est peint avec de l'émeraude, de l'orange cadmium et de la terre de Sienne brûlée; le cou avec le même mélange plus du blanc; l'arête et le méplat frontal du nez avec de l'émeraude, de l'orange cadmium, de la terre de Sienne brûlée, du blanc et du rouge cadmium clair; la lèvre supérieure avec de l'émeraude, de l'orange cadmium, de la terre de Sienne brûlée, du blanc et du vert oxyde de chrome. L'artiste a peint la zone foncée entre la lèvre inférieure et la barbiche avec de l'émeraude, de l'orange cadmium, de la terre de Sienne brûlée, du blanc et un soupçon d'outremer pour obtenir un riche ton foncé.

L'artiste a peint séparément les zones claires: la couleur du front est un mélange de vert oxyde de chrome et d'un soupçon de blanc auquel il a ajouté une combinaison de couleurs: blanc, rouge cadmium clair, ocre jaune, vert oxyde de chrome et orange cadmium; la zone claire sous l'oeil est peinte avec un mélange de terre de Sienne brûlée, d'émeraude, de blanc et d'orange cadmium, auquel l'artiste a ajouté du vert oxyde de chrome et du rouge cadmium clair; la zone claire le long de l'aile du nez comprend du blanc, du rouge cadmium clair, de l'ocre jaune, du vert oxyde de chrome, de l'orange cadmium et du noir ivoire. Il a ensuite peint les taches claires du front en se servant d'un mélange de terre d'ombre brûlée, d'outremer et de blanc. Quant à la chemise, elle a reçu une couleur composée d'alizarine, de terre d'ombre brûlée et de noir.

L'artiste a continué de façonner les lèvres avant d'entre-

prendre l'étape suivante: la lèvre supérieure avec de la terre d'ombre brûlée, de l'alizarine, de l'outremer et du blanc; la lèvre inférieure avec de la terre de Sienne brûlée, du blanc, de l'émeraude, de l'orange cadmium et du rouge cadmium clair.

4. À cette étape, l'artiste s'est servi de terre d'ombre brûlée et de noir pour les iris, de noir pur pour les cils, de noir et de terre d'ombre brûlée pour les sourcils, et d'alizarine et de blanc pour la zone rougeâtre des paupières. Il a mis ensuite en place les taches claires: sur le nez avec un mélange d'outremer et de blanc; sur la lèvre avec de l'alizarine et du blanc; sur le menton avec un mélange de vert oxyde de chrome, de blanc et d'un soupçon de terre d'ombre brûlée.

À remarquer les reflets de lumière sur les deux côtés du cou: celui sur le côté droit est un mélange de vert oxyde de chrome, de noir, de terre d'ombre brûlée, de terre de Sienne brûlée et de blanc; celui sur le côté gauche plus clair est composé de terre de Sienne brûlée, de blanc, d'émeraude, d'orange cadmium d'outremer et d'un peu de blanc. Pour finir le portrait, l'artiste a appliqué quelques touches claires sur l'oreille, a peint la chemise avec une couche épaisse de blanc pur et a terminé la petite veste avec quelques coups de pinceau de rouge cadmium clair.

Portrait en tons froids

Quand on exécute un portrait, il faut voir plus loin que la simple ressemblance. On doit refléter la personnalité et l'émotivité du modèle; choisir une pose, une composition et une palette de couleurs qui conviennent en l'occurrence.

John, le fils d'une amie de Jane Corsellis, est un garçon sensible, intelligent et timide. Pour mettre en relief les courbes de son fin visage, l'artiste l'a placé de profil sur un fond de formes rectangulaires dont le coffre sur lequel il est assis. Elle a également choisi une gamme sobre de terres d'ombre foncées (comprenant de nombreuses couleurs), de bleus clairs et de couleurs chair rosée.

Le fond a reçu·une première couche légère de bleu céruléum par-dessus laquelle l'artiste a travaillé un rectangle un peu plus foncé de bleu cobalt. Puis elle a successivement appliqué des couches d'émeraude, d'outremer, de rouge cadmium et de terre de Sienne brûlée, en laissant paraître ces couleurs çà et là pour donner de la profondeur et intéresser l'oeil.

Les tons bleus et froids de la chemise font paraître le teint plus doux et plus chaud et permettent de souligner la douceur du modèle. L'artiste a peint son visage avec divers mélanges d'ocre jaune, de rouge cadmium, de bleu cobalt, d'émeraude et de blanc avec des touches vives de rose garance sur les joues et les mains et des·touches foncées de terre de Sienne brûlée et de bleu sur le nez, l'oreille et l'oeil. Les che-

veux blonds sont peints avec un mélange d'ocre jaune, de terre verte et de blanc, additionné de bleu cobalt pour les parties plus foncées.

Il n'est pas facile d'exprimer de profil la personnalité d'un modèle: l'oeil est automatiquement obligé de suivre le sens du profil et la tête a tendance à paraître plate. Pour y remédier, l'artiste a ajouté des touches de couleurs claires sous la pommette et a souligné les traits, la forme et les méplats de la tête avec plus d'attention que d'habitude pour mettre en relief la valeur tridimensionnelle de la tête et transposer l'expressivité du modèle. À remarquer comment la lumière fait une séparation distincte (quoique subtile) entre le front et les méplats latéraux de la tête.

Portrait en tons chauds

Kate, la soeur de John, est très différente de son frère. Elle est sûre d'elle et pleine de vie et c'est pourquoi la pose de face est la meilleure dans son cas.

Dans ce portrait, il y a deux sources de lumière. Au premier plan, la lumière du feu de la cheminée se reflète sur le visage et la partie supérieure du corps de Kate pour lui donner une chaude clarté qui souligne son caractère chaleureux; à l'arrière-plan, le bleu clair de la fenêtre reflète des tons froids contrastants sur la table et le fond.

Jane Corsellis a soigneusement préparé sa composition pour permettre aux formes carrées de la fenêtre, des tableaux entassés et de la table de recouper d'une manière intéressante et abstraite le corps de Kate. Elle a adouci tous ces angles avec les courbes du pot en grès, les rondeurs de la poitrine, la forme de la tête et l'emblème de son vêtement.

La tête de Kate est peinte avec moins de finition que celle de John pour souligner son caractère exu-

bérant et extraverti. L'artiste a peint la peau avec des mélanges d'ocre jaune, de terre de Sienne brûlée, de rouge cadmium, de rose garance et de blanc, additionnés d'un peu de bleu cobalt, d'outremer et d'émeraude pour les adoucir et leur donner une tonalité plus froide. La lumière froide de la fenêtre (peinte dans des tons de bleu céruléum, d'outremer, d'émeraude et de blanc) renforce les couleurs chaudes du visage. L'artiste a encadré le visage avec une chevelure d'un brun chaud (terre de Sienne brûlée, ocre jaune et outremer) qui oppose une barrière à la froide lumière du jour à l'arrière-plan. À remarquer la manière dont l'artiste a souligné cette lumière froide dans les cheveux, séparés par une raie, en reliant les deux masses. Elle a peint d'abord les cheveux avec un mélange transparent de terre de Sienne brûlée et d'outremer en y ajoutant des tons opaques d'ocre jaune et de blanc là où les boucles reflètent la lumière.

Nu en tons froids

Études à la mine. Les dessins de cette page sont des études préliminaires que Charles Pfahl a exécutées avant de commencer son tableau à l'huile. Celui du haut est un simple croquis qu'il a exécuté pour mettre en place les divers éléments. Dans celui en dessous, l'artiste est allé plus loin dans le travail des valeurs afin d'obtenir un aperçu des relations tonales du tableau. (À remarquer comme il s'est peu écarté de ces études une fois le tableau terminé, voir en page 133). Satisfait de la manière dont il a traité son sujet en termes picturaux, il a entrepris ensuite d'aller plus avant.

1. À partir de ses études, l'artiste a rapidement esquissé son sujet sur un panneau de masonite recouvert d'une couche d'un ton gris-argent. Même si, dans sa première idée, les jambes du modèle devaient être découvertes, l'artiste a décidé qu'il serait préférable de les recouvrir presque en entier avec la couverture; il avait pris presque toutes ces décisions avant même de commencer le tableau proprement dit.

2. Le premier problème auquel s'est attaqué l'artiste a été de résoudre les valeurs de base avant d'aller plus loin. Il a renforcé son dessin et mis en place quelques-unes des zones foncées: la chevelure, le pubis et le coin supérieur gauche du tableau. Il a inscrit les plis les plus importants de la couverture et en a tracé les motifs avec plus de précision. C'est maintenant le moment de mettre en place les couleurs de base.

3. Charles Pfahl a recouvert rapidement toute la surface avec des tons qui seront à peu près les couleurs définitives. Il a délimité la zone des dessins de la couverture et souligné les parties claires de l'avant-bras droit et de la poitrine. L'artiste est maintenant capable de voir ce que donnera le tableau une fois terminé.

4. Ici, l'artiste a mis en place tous les tons de base en peignant avec les couleurs exactes et en exploitant le plus possible la tonalité du panneau; il a fondu ensemble les ombres et les lumières pour donner une impression de forme unifiée. Il a également traité rapidement les dessins de la couverture en s'efforçant de rendre les couleurs, les valeurs et les formes aussi justes que possible.

5. L'artiste a souligné ensuite les formes de certains plis importants de la couverture ainsi que les dessins des motifs en les traitant comme des zones planes de couleurs sans se préoccuper des textures mais plutôt de leurs dimensions exactes que de la justesse de leurs coloris.

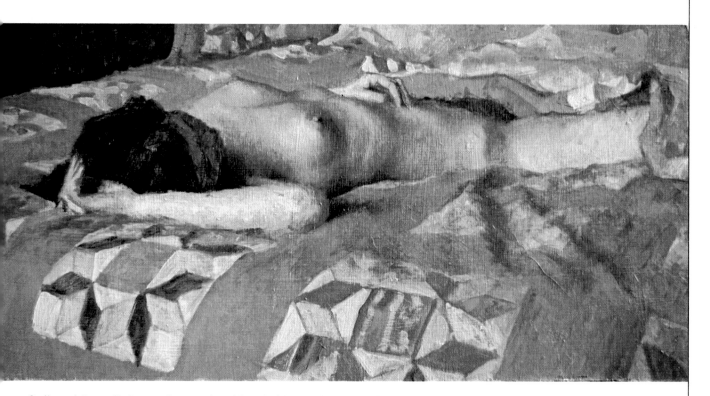

6. Il a peint ensuite les nombreux gris et bleus froids dont il a constaté la présence sur la poitrine et le ventre du modèle. Il a traité ces zones en se servant du ton de la couche de fond du tableau. L'artiste donne souvent une tonalité à ses surfaces pour en exploiter les valeurs et les couleurs de façon à ce qu'elles présentent des demi-tons dans le tableau fini. Comme il étend sa pâte en couche fine, cette technique donne de remarquables résultats. En général, il aime peindre tout son tableau dans des tons relativement froids.

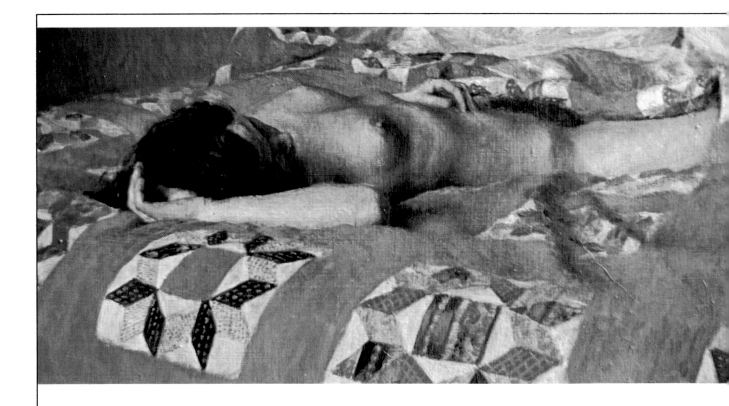

7. L'artiste a ici concentré son attention sur les motifs de la couverture au premier plan et a peint avec précision les détails et les couleurs des dessins de ces motifs. Il a ajouté un ton plus foncé à tout le tableau pour lui donner une tonalité plus chaude. Il a modifié la couleur chartreuse de la couverture pour en faire ressortir le ton chaud. À cette étape, toute la tête et l'avant-bras sont repeints. La tête a gardé sa simplicité de façon à souligner l'illusion qu'elle se confond avec l'ombre du corps.

7. (détail ci-dessous) Cette vue rapprochée montre comment l'artiste s'est servi d'une technique presque pointilliste pour traiter le dessin des motifs carrés de la couverture. Vus avec un certain recul, les petits points bleus et rouges donnent l'impression de vibrer et apportent une illusion de texture dans le motif. En fait, le dessin en est vague, la couleur simple, sans aucun bord défini; mais, d'une façon générale, il réussit à donner l'impression d'un motif dynamique et bigarré.

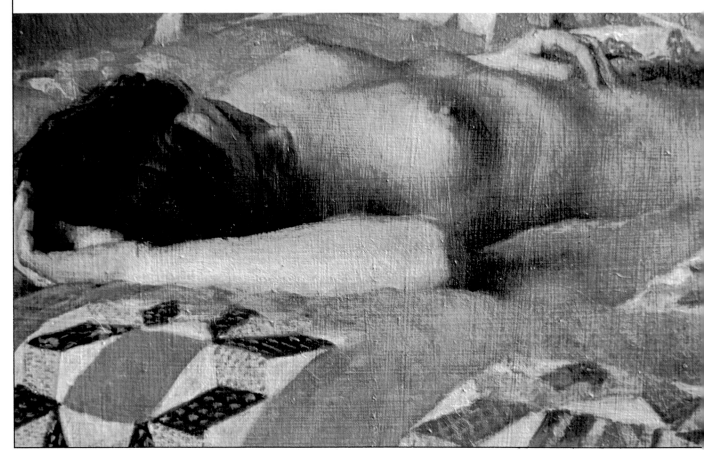

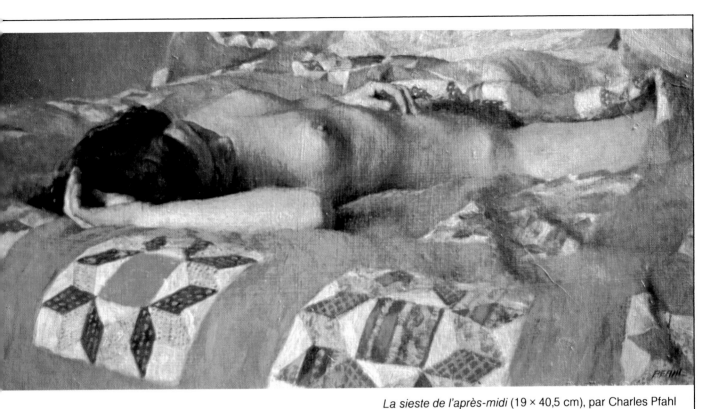

La sieste de l'après-midi (19 × 40,5 cm), par Charles Pfahl

8. L'artiste a ensuite rendu plus clairs la poitrine et l'avant-bras du modèle; il a terminé la jambe droite qui représente la deuxième zone la plus claire du tableau. Il lui a donné une valeur plus claire que le reste du torse mais plus foncée que la zone la plus claire, c'est-à-dire l'avant-bras. Il a soigneusement repeint la main gauche qui repose sur le ventre. Dans le coin inférieur droit, il a mis en place un pli dans le carré qu'on voit partiellement pour en casser le dessin et l'a rendu plus clair pour qu'il ne retienne pas trop l'attention.

8. (détail ci-dessous) À remarquer les petites touches claires sur le nez. Ces taches claires donnent de la forme au visage qui reste fondamentalement dans un ton foncé moyen. Les contours du corps sont tous très adoucis comme dans la réalité mais le spectateur voit distinctement la récession des méplats au fur et à mesure que le regard s'éloigne du point le plus avancé qu'est l'avant-bras.

Le nu dans son cadre

1. Jane Corsellis aime situer son modèle dans un environnement donné comme on peut le voir dans la première étape de ce tableau. Lorsqu'elle contempla la scène pour la première fois, l'artiste s'est rendu compte que les lignes horizontales du store faisaient contraste avec la forme arrondie du drap, que les chaudes taches du soleil sur le corps du modèle jouaient avec les ombres froides, que le mur formait une masse verticale foncée s'opposant au rectangle clair de la fenêtre et que la frise en losange du treillage du balcon trouvait son écho dans les angles aigus des feuilles de bambou et dans la courbure insolite du corps du modèle.

Elle a d'abord exécuté un dessin préliminaire au fusain qui a mis en place les ombres et les lumières et elle a travaillé la composition de base du tableau. Ensuite elle a commencé avec un lavis pâle de bleu cobalt et de terre de Sienne brûlée qu'elle a étendu avec un pinceau domestique large de 4 cm. Elle a continué de peindre en allant vers le foncé tout en laissant dégarnies certaines parties et en inscrivant les tons les plus foncés avec un mélange de bleu outremer et de terre de Sienne brûlée.

L'artiste préfère toujours travailler en allant vers les foncés plutôt que de les peindre immédiatement, ce qui donne au tableau une plus grande sensibilité.

2. Dès le début, elle avait remarqué que les choses ne tournaient pas rond. Le corps et la literie étaient trop roses et la forme des draps était bizarre. La région de la fenêtre n'était pas bonne non plus. Les baguettes du store était trop précises et, partant, trop linéaires et trop voyantes. Même la couche de fond bleue était foncée et la ligne horizontale du porche trop forte.

Elle a essayé de corriger la forme des draps en repeignant le dessus et en l'abaissant sur la gauche; elle en fonça les ombres avec un violet (bleu outremer et rose garance) mais cela ne fit qu'empirer la situation parce qu'elle renforça les tons de rose dont elle avait voulu se débarrasser. Elle a essayé de casser les lignes du store pour adoucir

leur rigidité linéaire en les frottant avec un beige clair chaud (orange cadmium, bleu céruléum et blanc) et en éclaircissant par la même occasion les tons de l'extérieur. Mais, ce faisant, elle a éliminé la forme en losange du treillage et a fait disparaître le climat original qu'elle avait saisi dans son dessin au fusain.

À ce moment-ci, l'artiste a perdu tout son enthousiasme pour ce tableau. Elle savait que quelque chose n'allait pas mais n'arrivait pas à savoir ce que c'était étant donné qu'aucun des changements apportés par elle n'avait amélioré la situation. En désespoir de cause, elle retourna le tableau contre le mur et essaya de l'oublier, espérant qu'elle finirait par en trouver la solution. Ce qui arriva quelques semaines plus tard.

Étude préliminaire à l'huile. Jane Corsellis étudia les problèmes de son tableau sur une petite toile afin de voir ce qui n'avait pas marché. Cette fois-ci, elle travailla avec rapidité et d'un air décidé en mettant soigneusement en place les taches de couleurs chaudes sur les tons froids. Elle a peint alors avec plus de naturel, d'une façon bien plus vivante, et avec plus de vigueur que dans son premier tableau. Elle s'est également référée à son dessin au fusain qu'elle avait exécuté en premier lieu et elle a constaté qu'elle avait perdu de vue, dans son tableau, les contrastes qui avaient d'abord retenu son attention: la brillance du carré de la fenêtre et de son appui. Elle avait également oublié les formes en losange du treillage et des feuilles et la façon dont elles répondaient aux angles formés par les bras et les hanches du modèle.

Dans l'étape n° 2, les parties foncées à droite étaient déséquilibrées et, à gauche, la scène était sans consistance. Il fallait les renforcer en continuant la ligne horizontale de l'appui et du bas du mur sur la gauche. Il fallait également équilibrer la masse du modèle avec les couleurs foncées et les formes des feuilles et du treillage. Étant donné que la pièce était brillamment éclairée, elle était pleine de reflets lumineux et l'artiste avait traité toute la partie du matelas au premier plan dans un ton bien trop foncé.

Enfin, Jane Corsellis s'est rendu compte que le problème fondamental était qu'elle avait cessé de voir le tableau comme un tout et qu'elle avait concentré son attention sur des sections isolées et sans rapports directs; elle n'avait pas réussi à donner une impression d'atmosphère baignée de soleil et avait simplement raté l'équilibre et la géométrie de sa composition.

Tableau final. (page ci-contre) Lorsque le modèle est revenu pour reprendre la pose, tout sembla alors bien marcher même s'il y eut de nombreux changements par rapport à l'étape n° 2. L'artiste a travaillé pendant longtemps pour y arriver.

Elle a d'abord rendu les ombres plus claires au bas du lit, sous le couvre-lit et sur les pieds en y augmentant les reflets de lumière. Elle a également foncé la couleur de la jambe dans l'ombre en la rendant plus rose et plus vive pour faire pendant au renforcement des reflets de lumière; elle a rendu plus clair le jeu du soleil dans les cheveux du modèle. En outre, elle a également donné un ton clair à la surface du drap et du couvre-lit, là où la lumière tombait dessus, et a modifié la forme de la literie en lui apportant un jeu complexe et intéressant d'angles et de lignes, surtout à droite.

Jane Corsellis a ensuite travaillé

l'oreiller et le matelas, en a amélioré les formes, les lignes, les couleurs, puis a renforcé les lignes entrecroisées de l'appui de la fenêtre, du treillage et du mur de pierre derrière. Elle a éliminé les tons de bleu du mur à droite et a renforcé la couleur de terre d'ombre brûlée de cette partie. Elle a également fait disparaître le désagréable ton violet des draps en bas à gauche et l'a remplacé par une masse englobant toute une série de coloris et de formes claires et délicates.

L'artiste a ensuite concentré son attention sur l'oreiller et le couvre-lit même si l'ombre bleu-violet des draps et les tons froids (et quand même chauds) des jambes du modèle sont très difficiles à saisir par suite des changements presque imperceptibles ici des couleurs et des tons. Cependant, malgré cette difficulté, elle a réussi un contraste suffisamment net entre le couvre-lit et la couleur crème de la peau, sans forcer la note mais avec une certaine suggestivité.

À remarquer la façon dont les feuilles de bambou suivent la ligne du bras raide et sont complémentaires du bras replié, et la façon dont la courbe suggérée par la clématite grimpante sur le balcon suit la courbe du corps du modèle, tout en étant compensée par la raideur de la ligne verticale du fil qui retient le store. Mais, même s'il y a beaucoup de détails dans la moitié supérieure du tableau, il n'y a pas surcharge et le modèle en demeure l'élément principal. Le regard reste toujours attiré vers la figure, les lignes du bambou, le store et le treillage. Si le store avait conservé sa précision comme lorsque Jane Corsellis l'avait peint au début, le modèle n'aurait été qu'un élément secondaire à l'intérieur d'un tableau décrivant un balcon et un store.

Endormie au soleil (114 × 127 cm)
par Jane Corsellis

Modèle dans la lumière du matin

Les artistes trouvent leurs idées de tableaux de bien des manières, parfois insolites. Jane Corsellis a commencé à travailler à la composition de cette scène avant même d'avoir eu l'idée de la peindre. Les matins d'été, elle aime paresser au lit en regardant les jeux d'ombres et de lumières sur les rideaux et les murs de sa chambre, à l'heure où le soleil y fait son entrée. Inconsciemment, elle avait commencé à enregistrer ces jeux visuels en remarquant comment les rayons du soleil brillaient d'un rose chaud à travers le rideau transparent et comment les barres de la fenêtre y reflétaient des ombres bleues. Elle avait également perçu la qualité de la lumière: les rayons embrumés des matins du début de l'été qui brillent avec douceur avant que l'éclat de la lumière de midi n'étouffe les couleurs. Au milieu de la journée, lorsque le soleil tombait directement à l'aplomb du plancher, les reflets étaient complètement différents. Cependant, en ce début de matinée, l'artiste avait été impressionnée par le jeu dramatique des ombres, leurs dessins et angles différents, ainsi que par le jeu subtil de la température des couleurs.

En travaillant sa composition, Jane Corsellis a d'abord esquissé un mur derrière le modèle mais a constaté que cette surface plane était monotone et elle y a ajouté une porte fermée. Ensuite, (peut-être sous l'influence de Vermeer et d'autres anciens maîtres hollandais qu'elle adore), l'artiste s'est rendu compte qu'une porte à moitié ouverte apporterait une note de mystère et d'attente. (Jane Corsellis traite beaucoup ce thème dans ses tableaux.) Elle a trouvé la porte et l'angle de lumière dont elle avait besoin dans la maison d'une amie et elle en a fait quelques croquis sur place. Après avoir étudié la façon dont tombait la lumière et dont les couleurs réagissaient, elle a transposé toutes ces informations sur sa toile (À un moment donné, elle avait même ajouté une figure masculine dans la pièce derrière mais l'avait éliminée parce qu'elle dispersait l'attention.) Elle a également exécuté à la mine et à l'aquarelle une étude détaillée du rideau et a mis en place les intéressantes formes créées par les reflets lumineux projetés par l'invisible mur en brique du jardin et qui font contraste avec les ombres froides que les barres de la fenêtre dessinent sur le rideau. Étant donné que cet effet ne dure qu'une heure environ, elle a dû se lever tôt pour bien le capter. Après avoir travaillé dans sa tête les idées à mettre dans son tableau, elle a commencé à peindre sur une grande toile sans études préliminaires.

Lumière du matin (127 × 152 cm), par Jane Corsellis

Elle a esquissé la composition de base avec un pinceau ordinaire de 4 cm et a préparé un lavis de terre d'ombre naturelle. Le lavis une fois sec, elle a brossé sur sa toile des couches de peinture presque sèche, en les appliquant légèrement et en s'attachant à relier et à contraster les tons des différentes parties. Elle a continué d'étendre des glacis légers jusqu'à ce qu'elle obtienne l'effet désiré. Étant donné que peu de ces parties sont totalement froides, les couches de glacis chauds et froids font ressortir la qualité de la lumière ainsi que sa complexité. Les zones d'ombres froides avec leurs reflets chauds et brillants sont particulièrement difficiles à évaluer et à peindre.

La composition de base, les valeurs et les sources de lumière de ce tableau sont mises en relief dans les croquis ci-dessous. Comparez-les avec le ta-

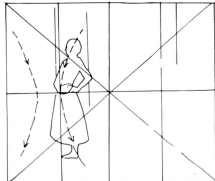

COMPOSITION

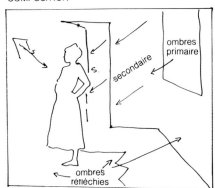

SOURCES DE LUMIÈRE

VALEUR

bleau terminé et vous verrez comment l'artiste a transposé ses idées sur la toile.

Jane Corsellis a peint la tête du modèle faisant dos à la fenêtre selon un certain angle et son profil, qui est presque dans l'ombre, est peint presque sans modification des couleurs. Ces dernières posent certaines difficultés à cause du soleil que reflète le miroir sur son corps. Mais l'artiste a étudié la scène avec beaucoup d'attention et en a tiré le maximum pour peindre ce qu'elle voyait.

Elle a également cherché des similitudes et des contrastes dans le jeu des ombres. Ainsi, elle a remarqué que les ombres translucides sur le rideau se répètent sur le corps du modèle. Elle a cherché en outre à saisir l'effet fugace de la lumière sur les différents éléments, en particulier sur la porte à panneaux. Le chambranle de la porte près de la tête est assez net alors que, plus haut, les couleurs et les tons se fondent. L'artiste a suggéré les panneaux de la partie inférieure avec des tons clairs mais, comme la lumière changeait tout le temps sur cette surface très polie, elle s'est servie de tons de plus en plus foncés. Ainsi, elle a peint la partie supérieure ombrée de la porte (voir le tableau terminé) avec du bleu céruléum et du rose garance pur, et a traité les tons plus chauds au-dessus avec du bleu céruléum et de la terre de Sienne brûlée, en ajoutant de la terre verte dans les ombres et des touches de bleu cobalt pour les taches claires.

Dans cette partie du tableau, se trouve l'un des jeux les plus complexes de valeurs et d'angles de tout l'ensemble. L'artiste a pensé qu'en laissant légèrement entrouvert le haut de la fenêtre, elle rendrait son tableau encore plus intéressant à cause des ombres bleues qui forment des lignes brisées faisant contraste avec les horizontales rigides de l'encadrement de la fenêtre. Les bords blancs des barres de la fenêtre jouent également un rôle important dans la composition en arrêtant le regard sur le côté du tableau tout en dirigeant l'attention vers la zone de la fenêtre.

Le rideau blanc permet de renforcer le contraste entre la lumière extérieure et les ombres dans la pièce, effet qui est souligné par la ligne foncée des briques derrière la fenêtre. Pour obtenir un effet de transparence, l'artiste a brossé de la terre de Sienne brûlée (pour refléter le mur en brique du jardin dehors) sur la toile pour servir de fond en enlevant ce qui fera plus tard place au jeu des ombres bleues. Elle a ensuite peint soigneusement les ombres en bleu cobalt à l'aide de grands coups de pinceau. Tout le tableau est une combinaison de zones peintes de cette manière et de quelques détails savamment travaillés comme l'appui de la fenêtre et le bas du rideau ainsi que les barreaux qu'on voit derrière.

Les rayons de soleil ont amené des changements de couleur et de ton sur le blanc du mur. En fait, le vrai mur avait besoin d'une nouvelle couche de peinture et l'artiste s'est efforcée d'obtenir cette apparence et les changements sous-jacents des coloris. Elle l'a peint avec des lavis légers de terre de Sienne brûlée et d'ocre pour ensuite lui donner un glacis de bleu céruléum.

Index